COLEÇÃO FILOSOFIA VIVA

Idries Shah

as gaiatices do incrível Mulá Nasrudin

tradução
Tami Buzaite

Tabla

SUMÁRIO

Pidar natawanad, Pisar taman kunad.
Se o pai não puder, o filho pode levar a termo.

INTRODUÇÃO

Quando se escuta muitas histórias de Nasrudin, elas podem ter um efeito cativante. Há uma tradição, amiúde registrada no Oriente Médio, que procura explicar isso.

Conta-se que Nasrudin, quando garoto, tinha o estranho poder de prender a atenção dos colegas de escola com suas histórias, e o trabalho acadêmico deles ficava muito prejudicado. O professor, incapaz de evitar que o magnetismo de Nasrudin operasse, e sendo ele próprio um sábio, conseguiu modificá-lo. Ele lançou o seguinte feitiço sobre o rapaz:

"A partir de agora, não importa o quão sábio você se torne, as pessoas sempre vão rir de você. A partir de agora, toda vez que *uma* história de Nasrudin for contada, as pessoas se sentirão compelidas a contar outras até que ao menos sete tenham sido narradas".

É muito curioso como algumas pessoas que não são imediatamente atraídas pelo Mulá podem vir a se tornar adictas. Os Estados Unidos, a União Soviética e a China comunista estão, nesse momento, igualmente envolvidos com, pelo menos, uma coisa: Nasrudin. O relatório da Conferência de Física de Alta Energia de Coral Gables adota as histórias do Mulá para ilustrar fenômenos científicos que não podem ser apresentados dentro das limitações dos termos técnicos de praxe. Na Ásia Central Soviética, um novo filme sobre Nasrudin está em plena produção, como um empreendimento cultural. Pequim publicou, tanto em inglês quanto em chinês, um livro folclórico com histórias sobre... Mulá Nasrudin.

Compatível com a história do Mulá, a ampla recepção da nossa versão de *As Façanhas* encontrou um dissidente na

Punch.[1] Mas, se os ensinamentos do Mulá nos permitissem prever, provavelmente ele próprio teria se divertido mais com a reação dos especialistas acadêmicos. Na Grã-Bretanha, orientalistas têm dito que Nasrudin não é uma figura de ensino sufi. Em Beirute e Karachi, a opinião contrária parece ter a mesma força entre os especialistas.

Tudo isso, é claro, serve apenas para mostrar que o nosso Mulá não se encaixa nas categorias vigentes e que, mesmo assim, ainda há lugar para ele.

Segundo os *Ditados do Mulá Nasrudin*:

> Divirta-se, ou tente aprender: você incomodará alguém.
> Se não o fizer: você incomodará alguém.

IDRIES SHAH, 1968

---

1 Revista de humor britânica, lançada em 1841; saiu definitivamente de circulação em 2002. (N. do T.)

AS GAIATICES DO INCRÍVEL MULÁ NASRUDIN

O MOTIVO

O Mulá foi visitar um homem rico.

"Dê-me algum dinheiro."

"Por quê?"

"Quero comprar… Um elefante."

"Se você não tem dinheiro, não pode sustentar um elefante."

"Eu vim até aqui", disse Nasrudin, "para pegar dinheiro, não conselhos."

COMENDO SEU DINHEIRO

O Mulá Nasrudin, como todos sabem, vem de um país onde fruta é fruta e carne é carne, e nunca se come *curry*.

Certo dia, ele ia se arrastando por uma empoeirada estrada indiana, logo depois de descer das altas montanhas do Kafiristão, quando uma sede enorme tomou conta dele. "Em breve", pensou consigo mesmo, "devo encontrar algum lugar com boas frutas."

Antes mesmo dessas palavras tomarem forma em sua mente, ele fez uma curva e avistou um homem de aparência benevolente sentado à sombra de uma árvore, com um cesto diante de si.

Amontoadas no cesto, havia grandes frutas, brilhantes e vermelhas. "É disso que eu preciso", disse Nasrudin. Tirou do nó na ponta do seu turbante duas pequenas moedas de cobre, e deu-as ao vendedor de frutas.

Sem dizer uma só palavra, o homem entregou todo o cesto, pois esse tipo de fruta é barata na Índia, e as pessoas costumam comprá-las em pequenas quantidades.

Nasrudin se sentou no lugar vago deixado pelo comerciante e começou a mastigar as frutas. Em poucos segundos, sua boca estava queimando. Lágrimas rolavam pela sua face, havia fogo em sua garganta. O Mulá continuou comendo.

Uma hora ou duas haviam se passado, até que um montesino afegão se aproximou. Nasrudin o saudou: "Irmão, estas frutas infiéis devem vir da própria boca de Shaitan!".

"Tolo!", exclamou o montesino. "Nunca ouviu falar das pimentas do Hindustão? Pare agora de comê-las, ou a morte certamente fará uma vítima antes do sol se pôr."

"Não posso sair daqui", arfou o Mulá, "enquanto não terminar o cesto todo."

“Louco! Essas frutas vão no curry! Jogue-as fora imediatamente.”

“Já não estou comendo as frutas”, resmungou Nasrudin, “estou comendo o meu dinheiro.”

O USO DE UMA LAMPARINA

"Posso enxergar no escuro", gabou-se Nasrudin, certo dia, na casa de chá.

"Se é assim, por que às vezes vemos você carregando uma lamparina pelas ruas?"

"Apenas para evitar que as outras pessoas esbarrem em mim."

POR QUE NÃO?

Nasrudin foi à loja de um homem que armazenava todo tipo de miudezas.

"Você tem pregos?"

"Sim."

"E couro, um bom couro?"

"Sim."

"E cadarço?"

"Sim."

"E tintura?"

"Sim."

"Então, pelo amor de Deus, por que não faz um par de botas?"

PRUDÊNCIA

O Mulá foi convidado para um banquete de casamento. Na última vez que estivera naquela casa, alguém havia levado embora suas sandálias. Dessa vez, para não deixá-las na porta, ele enfiou-as no bolso interno do casaco.

"Que livro é esse no seu bolso?", perguntou o anfitrião.

"Ele pode estar querendo os meus sapatos", pensou Nasrudin, "além disso, tenho uma reputação de homem versado a zelar." Então, respondeu em voz alta: "O tema do volume que você está vendo é 'Prudência'".

"Que interessante! Em qual livraria você o comprou?"

"Para falar a verdade, eu o comprei de um sapateiro."

SUPOSIÇÕES

"Qual é o significado de destino, Mulá?"

"Suposições."

"Em que sentido?"

"Você supõe que as coisas vão dar certo, mas não dão; você chama isso de azar. Você supõe que as coisas vão acabar mal, e elas não acabam; você chama isso de sorte. Você supõe que algumas coisas vão acontecer ou que não vão acontecer, e carece de intuição a tal ponto, que você não *sabe* o que vai acontecer. Você supõe que o futuro é desconhecido.

Quando é surpreendido, chama isso de destino."

APENAS SUPONHA...

O Mulá estava andando pelas ruas do vilarejo, absorto em pensamentos, quando alguns pivetes começaram a jogar pedras nele. Nasrudin foi pego de surpresa e, além disso, ele não era um homem grande.

"Parem com isso e eu contarei algo do seu interesse."

"Está bem, o que é? Mas nada de filosofia."

"O emir está oferecendo um banquete a todos que aparecerem por lá."

As crianças correram em direção à casa do emir, e Nasrudin foi se empolgando com o tema, as iguarias e as delícias do evento...

Levantando a cabeça, viu as crianças desaparecendo à distância. Subitamente, ele ergueu seu manto e disparou atrás delas. "É melhor eu ir conferir", disse, ofegante, para si mesmo, "afinal de contas, *pode* ser verdade."

COLHEITA ALTERNADA

O Mulá foi ao barbeiro, que fez sua barba com uma lâmina cega e uma mão desastrada. Toda vez que tirava sangue, o barbeiro grudava um tufo de algodão no corte para estancar o sangramento. Isso se repetiu por algum tempo, até que um lado do rosto de Nasrudin ficou todo salpicado de algodão.

Quando o barbeiro estava prestes a raspar a outra face, o Mulá se viu de relance no espelho e levantou-se num pulo.

"Basta, obrigado, irmão! Decidi cultivar algodão em um lado e cevada no outro!"

UMA COISA PELA OUTRA

Nasrudin entrou em uma loja para comprar um par de calças. Então, mudou de ideia e, em vez disso, escolheu um casaco pelo mesmo preço.

Pegou o casaco e foi saindo da loja.

"Você não pagou!", gritou o comerciante.

"Eu deixei as calças que tinham o mesmo valor do casaco."

"Mas você também não pagou pelas calças."

"É *claro* que não", retrucou o Mulá, "por que eu pagaria por algo que não quis comprar?"

SOU SERVO DE QUEM?

Mulá Nasrudin se tornara um favorito na corte. Ele usava sua posição para expor os métodos dos cortesãos.

Certo dia, o rei estava excepcionalmente faminto, e algumas berinjelas foram tão deliciosamente preparadas que ele mandou o chefe do palácio servi-las todos os dias.

"Não são os melhores legumes do mundo, Mulá?", o rei perguntou a Nasrudin.

"Os melhores, Majestade."

Cinco dias depois, quando as berinjelas foram servidas pela décima refeição consecutiva, o rei esbravejou: "Tire isso daqui! Eu ODEIO essas coisas!".

"São os piores legumes do mundo, Majestade", concordou Nasrudin.

"Mas, Mulá, menos de uma semana atrás, você disse que eram os melhores."

"Sim, eu disse. Mas sou servo do rei, não do legume."

FÉ INESCRUTÁVEL

Nasrudin estava passando por uma viela quando um homem caiu de um telhado e aterrissou no seu pescoço. O homem saiu ileso; o Mulá foi levado para o hospital.

Alguns dos seus discípulos foram visitá-lo. "Que sabedoria você vê nesse acontecimento, Mulá?"

"Evitem qualquer crença na inevitabilidade de causa e efeito! *Ele* cai do telhado, mas o *meu* pescoço se quebra! Previnam-se contra questões teóricas como: 'Se um homem cair de um telhado, quebrará o pescoço?'".

A RESPOSTA

"Não há nada que não tenha uma resposta", afirmou um monge ao entrar na casa de chá onde Nasrudin se reunia com os amigos.

"Ainda assim, um acadêmico me desafiou com uma pergunta que não pode ser respondida", observou o Mulá.

"Quem me dera estar lá! Diga-me qual era e eu a responderei."

"Muito bem. Ele perguntou: 'Por que você está invadindo minha casa pela janela no meio da noite?'."

IDIOTAS

Mulá Nasrudin levava para casa uma carga de delicados frascos de vidro e deixou-a cair no meio da rua. Tudo ficou estilhaçado.

Uma multidão se acercou.

"Qual é o problema de vocês, idiotas?", bradou o Mulá. "Nunca viram um tolo antes?"

SE ALLAH QUISER

Nasrudin havia juntado dinheiro para comprar uma camisa nova. Ele foi todo animado até um alfaiate. O alfaiate tirou suas medidas e disse: "Volte dentro de uma semana e, se Allah quiser, sua camisa estará pronta".

O Mulá se controlou por uma semana e então voltou à loja.

"Houve um atraso. Mas, se Allah quiser, sua camisa estará pronta amanhã."

No dia seguinte, Nasrudin estava de volta. "Sinto muito", lamentou o alfaiate, "mas ainda não está completamente pronta. Tente amanhã e, se Allah quiser, estará pronta."

"Quanto tempo levará", perguntou Nasrudin, exasperado, "se você deixar Allah fora disso?"

UM GRANDE PENSAMENTO

Um dia, Nasrudin pediu à esposa que cozinhasse *halwa*, uma deliciosa guloseima, e deu-lhe todos os ingredientes. Ela fez uma grande quantidade e o Mulá comeu quase tudo.

Naquela noite, quando estavam na cama, ele acordou a esposa.

"Acabei de ter um pensamento extraordinário."

"Qual é?"

"Traga-me o resto de *halwa* e eu lhe contarei."

Ela se levantou e levou o *halwa*, e ele comeu tudo. "Agora", ela disse, "não vou conseguir dormir enquanto você não me contar o pensamento."

"O pensamento", relatou Nasrudin, "foi o seguinte: 'Nunca vá dormir sem antes terminar todo o *halwa* que foi feito durante o dia'."

A FAÇANHA

Na casa de chá, alguns soldados se vangloriavam da sua última campanha. Os habitantes locais se amontoavam avidamente em torno deles para escutá-los.

"E então", narrava um dos guerreiros de aparência assustadora, "peguei minha espada de dois gumes e avancei sobre os inimigos, dispersando-os para a direita e para a esquerda como joio. Nós vencemos a batalha."

Houve uma salva de palmas.

"Isso me lembra", falou Nasrudin, que havia presenciado algumas batalhas em sua época, "da vez em que cortei fora a perna de um inimigo no campo de batalha. Decepei-a num só golpe."

"O senhor teria feito melhor", replicou o capitão dos soldados, "se tivesse cortado a cabeça."

"Não seria possível", disse o Mulá, "alguém já tinha feito isso."

A CAÇADA

O rei, que apreciava a companhia de Nasrudin, mandou buscá-lo para irem caçar ursos. Ursos são perigosos. Nasrudin estava aterrorizado com a perspectiva, mas não podia escapar.

Quando voltou ao vilarejo, alguém perguntou:

"Como foi a caçada?".

"Maravilhosa."

"Quantos ursos você matou?"

"Nenhum."

"Quantos você perseguiu?"

"Nenhum."

"Quantos você viu?"

"Nenhum."

"Como pode ter sido 'maravilhosa', então?"

"Quando se está caçando ursos, 'nenhum' é mais do que suficiente."

AMBOS, VOSSA MAJESTADE!

Nasrudin não conhecia muito bem a etiqueta da corte; mesmo assim, ele estava entre os notáveis que seriam recebidos pelo sultão, que foi visitar a localidade. Um cavalariço lhe deu algumas breves informações. O rei perguntaria há quanto tempo ele morava ali, quanto tempo havia estudado para se tornar um Mulá e se estava satisfeito com os impostos e o bem-estar espiritual do povo.

Ele memorizou suas respostas, mas as perguntas seguiram outra ordem.

"Por quanto tempo você estudou?"

"Trinta e cinco anos."

"Quantos anos você tem?"

"Doze."

"Isso é impossível! Qual de nós dois enlouqueceu?"

"Ambos, Vossa Majestade."

"Está dizendo que eu enlouqueci, como você?"

"Sem dúvida, nós dois enlouquecemos, Vossa Majestade, mas de maneiras diferentes!"

ESQUECEU DE SI MESMO

Nasrudin bateu à porta de um castelo para arrecadar fundos para caridade.

"Diga a seu senhor", pediu ao guardião, "que Mulá Nasrudin está aqui e pede dinheiro."

O homem entrou no castelo e, em seguida, voltou.

"Receio que meu senhor tenha saído", informou.

"Então, permita que eu deixe uma mensagem para ele", disse Nasrudin. "Mesmo que não tenha contribuído, ele pode receber o seguinte conselho gratuitamente: da próxima vez que sair, não deveria deixar seu rosto na janela. Alguém pode roubá-lo."

NÃO É TÃO DIFÍCIL

O vizinho do Mulá queria seu varal emprestado.

"Desculpe", disse Nasrudin, "mas está em uso, secando farinha."

"Como é que você consegue secar farinha num varal?"

"É mais fácil do que você pensa, quando não se quer emprestá-lo."

OBRIGAÇÃO

O Mulá quase caiu num tanque de água. Um homem que ele mal conhecia estava por perto e o salvou. Toda vez que encontrava Nasrudin, depois do ocorrido, ele o lembrava do serviço que havia prestado.

Depois da milésima vez, Nasrudin levou o homem até o tanque, pulou dentro dele, ficando apenas com a cabeça para fora, e berrou: "*Agora*, estou tão molhado quanto estaria se você não tivesse me salvado! Deixe-me em paz".

IDEIAS FIXAS

"Quantos anos você tem, Mulá?"

"Quarenta."

"Mas você disse a mesma coisa da última vez que perguntei, há dois anos!"

"Sim, eu sempre sustento aquilo que digo."

HÁ UMA ESCALA DE TEMPO DIFERENTE

Nasrudin foi a um banho turco. Como estava mal vestido, os atendentes trataram-no de maneira relapsa, dando-lhe apenas um resto de sabonete e uma toalha velha.

Ao sair, Nasrudin deu uma moeda de ouro para cada um dos dois homens. Ele não reclamou de nada, e eles não conseguiram entender. "Será que", perguntaram-se, "se tivesse sido mais bem tratado, ele teria deixado uma gorjeta ainda maior?"

Na semana seguinte, o Mulá apareceu novamente. Dessa vez, é claro, ele foi tratado como um rei. Depois de ser massageado, perfumado e cuidado com a maior deferência, ele foi embora entregando a cada atendente a menor moeda de cobre possível.

"Isto", disse Nasrudin, "é pela vez anterior. As moedas de ouro foram por essa vez."

HOMEM MORDE CACHORRO – ISTO É NOTÍCIA

Nasrudin passou um tempo fora da cidade em uma de suas longas andanças. Assim que voltou ao vilarejo, viu que todas as pessoas corriam em direção ao mercado.

Ele perguntou a uma delas o que estava acontecendo.

"Você não sabe? Um homem foi à Meca em peregrinação. Neste ano, havia cem mil pessoas lá, e ele vai dar uma palestra sobre isso."

"Pela comoção", disse Nasrudin, "quase concluí que a peregrinação é que tinha vindo até ele, e não o contrário."

AINDA BEM QUE EU ESTAVA PASSANDO

Nasrudin estava passando ao lado de um poço quando teve o impulso de olhar para dentro dele. Era noite e, ao espiar o fundo da água, ele viu o reflexo da lua.

"Preciso salvar a lua!", pensou o Mulá. "Senão ela jamais minguará e o mês de jejum do Ramadã nunca chegará ao fim."

Ele encontrou uma corda, lançou-a para dentro e bradou: "Aguente firme! Continue brilhando! O socorro está a caminho!".

A corda ficou presa numa pedra dentro do poço e Nasrudin puxou com toda a força. Inclinando-se para trás, ele subitamente sentiu a corda ceder e foi lançado ao chão. Caído, recuperando o fôlego, ele viu a lua em sua trajetória no céu.

"Fico feliz em ser útil", disse Nasrudin. "Ainda bem que eu estava passando, não é?"

ENGRAÇADO VOCÊ PERGUNTAR...

Nasrudin pulou para dentro do quintal de alguém e começou a encher uma sacola com tudo em que podia botar as mãos.

Um jardineiro o viu e foi correndo até ele. "O que está fazendo aqui?"

"Fui soprado para cá por uma rajada de vento."

"E quem arrancou os vegetais?"

"Me agarrei neles para não ser arrastado."

"E como essas verduras foram parar dentro dessa sacola?"

"Era justamente isso que *eu* estava me perguntando quando você me interrompeu."

NÃO SE COMPROMETAM

O navio parecia estar prestes a afundar e os companheiros de viagem do Mulá – que riram das suas exortações para que preparassem sua alma para o outro mundo – se ajoelharam e gritaram por socorro. Em seus lamentos, faziam promessas que cumpririam caso fossem salvos...

“Aguentem firme, amigos!”, exclamou o Mulá. “Quanta prodigalidade com seus bens mundanos! Como sempre, não se comprometam. Confiem em mim! Acho que vejo terra firme.”

QUÃO TOLO PODE SER UM HOMEM?

O Mulá foi flagrado, no armazém comunal, entornando o trigo dos jarros de seus vizinhos em seu próprio jarro. Ele foi levado perante o juiz.

"Sou um tolo, não sei diferenciar o trigo deles do meu", declarou.

"Então, por que não entornou o trigo do seu jarro no jarro deles?", perguntou o juiz.

"Ah, mas eu sei diferenciar o *meu* trigo do *dele*s. Não sou tão tolo assim!"

CAUSA E EFEITO

Certa noite, Nasrudin discutiu com a esposa e gritou com tanta ferocidade que ela correu até uma casa vizinha em busca de abrigo. Ele a seguiu.

Acontece que um banquete de casamento estava em curso ali, e o anfitrião e os convidados fizeram de tudo para acalmá-lo. Eles concorriam entre si para tentar reconciliar o casal, fazendo-os comer e se divertir.

O Mulá disse à esposa: "Querida, lembre-me de perder a cabeça mais vezes, assim a vida realmente *valeria* a pena!".

FOI POR ISSO QUE A TAMPARAM

Nasrudin tinha muita sede e ficou contente quando viu, à beira da estrada, um cano de água cuja saída estava tampada com um pedaço de madeira. Ele aproximou sua boca aberta do tampão e o puxou. A água jorrou com tanto ímpeto que ele foi jogado para trás.

"Uau!", exclamou o Mulá. "Foi por isso que bloquearam você, não foi? E você ainda não tomou juízo!"

O PESO DA CULPA

Mulá Nasrudin e sua esposa chegaram em casa, certo dia, e descobriram que tinham sido roubados. Tudo que era transportável fora levado.

"A culpa é sua", disse a esposa. "Você deveria ter verificado se a casa estava toda trancada antes de sairmos."

Os vizinhos se juntaram ao coro:

"Você não trancou as janelas", disse um deles.

"Por que não previu isso?", indagou outro.

"As trancas estavam com defeito e você não as trocou", lembrou um terceiro.

"Um momento", disse Nasrudin. "Certamente não sou o único que deve levar a culpa."

"E *quem* deveríamos culpar?", exclamaram.

"Que tal os ladrões?", sugeriu o Mulá.

DESCRIÇÃO DOS BENS

Nasrudin perdeu um belo e valioso turbante.

"Você não está desesperançado, Mulá?", alguém perguntou.

"Não, estou confiante. Veja, ofereci uma recompensa de meia moeda de prata."

"Mas quem encontrá-lo certamente não vai se desfazer dele – que vale cem vezes mais –, por uma recompensa como essa."

"Já tinha pensado nisso. Coloquei no anúncio que se tratava de um turbante velho e sujo, bem diferente do *verdadeiro*."

MAIS ÚTIL

Nasrudin entrou na casa de chá e declarou:

"A lua é mais útil do que o sol".

"Por quê, Mulá?"

"Precisamos mais de luz durante a noite do que durante o dia."

QUAL É A MINHA METADE?

Nasrudin e um amigo estavam com sede e pararam num café para uma bebida. Decidiram dividir um copo de leite.

"Beba sua metade primeiro", pediu o amigo, "porque tenho um pouco de açúcar, mas apenas o suficiente para uma pessoa. Vou colocar na minha parte do leite e beber."

"Coloque agora", disse o Mulá, "e beberei só a minha metade."

"De jeito nenhum. Há somente o suficiente para adoçar metade de um copo de leite."

Nasrudin foi falar com o dono do café e voltou com um grande pacote de sal.

"Trago boas notícias, amigo", ele disse, "beberei primeiro, como foi combinado, e quero o meu leite com sal."

APRENDER A APRENDER

O Mulá mandou um menino buscar água do poço.

"Cuidado para não quebrar o pote!", exclamou, e deu um cascudo na criança.

"Mulá", disse um observador, "por que você bateu em alguém que não fez nada?"

"Porque, seu tolo", respondeu o Mulá, "seria tarde demais para puni-lo *depois* que ele quebrasse o pote, não é mesmo?"

ENCARE OS FATOS

Certo dia, Nasrudin chorava amargamente.

"Qual é o problema, Nasrudin?", perguntou seu vizinho.

"Estou triste hoje, vizinho", respondeu Nasrudin, "porque minha esposa está doente."

"Mas achei que o seu burro é que estava doente", retrucou o vizinho, confuso.

"Sim, na verdade é, mas estou me habituando ao choque a partir de estágios mais fáceis."

PARABÉNS

“Parabenize-me!”, gritou Nasrudin para um vizinho. “Sou pai.”

“Parabéns! É menino ou menina?”

“Sim! Mas como você sabia?”

PRINCÍPIOS ÓBVIOS DEMAIS

"Todos deveriam partilhar igualmente de tudo que está disponível", anunciava um filósofo, na casa de chá, a um grupo interessado.

"Não sei se isso funcionaria", argumentou um desconfiado.

"Mas você tentou?", perguntou o idealista.

"Eu tentei!", gritou Nasrudin. "Dou à minha esposa e ao meu burro exatamente o mesmo tratamento. Eles recebem exatamente o que querem."

"Excelente!", exclamou o filósofo. "Agora conte ao grupo qual é o resultado, Mulá."

"O resultado é: um bom burro e uma esposa ruim."

QUANDO VOCÊ ENCARA AS COISAS SOZINHO

"Você pode ter perdido seu burro, Mulá, mas não precisa lamentar isso mais do que lamentou a perda da sua primeira esposa."

"Ah, mas você deve se lembrar de que, quando perdi minha esposa, todos na vila disseram: 'Encontraremos outra pessoa para você'. Até agora, ninguém ofereceu um substituto para o meu burro."

OS PAPÉIS DO HOMEM

"Irmão", disse o Mulá Nasrudin a um vizinho, "estou arrecadando dinheiro para pagar a dívida de um pobre homem que não pode arcar com suas obrigações."

"Muito louvável", elogiou o outro, e lhe deu uma moeda. "E quem é essa pessoa?"

"Eu", respondeu Nasrudin, enquanto se afastava apressado.

Algumas semanas mais tarde, estava novamente à sua porta.

"Suponho que você esteja aqui por causa de uma dívida", disse o vizinho, agora cínico.

"Estou."

"Suponho que alguém não possa pagar uma dívida e você queira uma contribuição."

"É isso mesmo."

"Suponho que é *você* quem deve o dinheiro."

"Não desta vez."

"Bem, fico contente em ouvir isso. Tome esta contribuição."

Nasrudin embolsou o dinheiro.

"Só uma coisa, Mulá. O que mobiliza seus sentimentos humanitários nesse caso específico?"

"Ah, veja bem... Eu sou o *credor*!"

SECO NA CHUVA

Um homem convidou Nasrudin para uma caçada, mas lhe deu um cavalo muito lento. O Mulá não disse nada. Logo, o grupo de caçadores o ultrapassou e ele os perdeu de vista. Desabou uma chuva forte e não havia abrigo. Todos os integrantes da caçada ficaram ensopados. Nasrudin, no entanto, assim que a chuva começou, tirou toda a roupa e a dobrou. Então, sentou-se sobre a pilha. Assim que a chuva parou, ele se vestiu e voltou à casa do anfitrião para o almoço. Ninguém pôde entender como ele estava seco. Mesmo com toda a velocidade dos seus cavalos, eles não foram capazes de alcançar um abrigo naquela planície.

"Foi o cavalo que você me deu", disse Nasrudin.

No dia seguinte, deram-lhe um cavalo rápido e o anfitrião ficou com o lento. A chuva caiu novamente. O cavalo era tão lento que o anfitrião ficou mais molhado do que nunca, voltando para casa em passo de lesma. Nasrudin repetiu o mesmo procedimento de antes.

"É tudo culpa sua!", gritou o anfitrião. "Você me fez montar esse cavalo horrível."

"Talvez", concluiu Nasrudin, "você não tenha contribuído com nada para o problema de se manter seco?"

O QUE É UM INDÍCIO VERDADEIRO?

Um vizinho foi à casa de Nasrudin.

"Mulá, quero seu burro emprestado."

"Sinto muito", disse o Mulá, "mas já o emprestei a alguém."

Assim que disse isso, o burro zurrou. O som veio do estábulo de Nasrudin.

"Mas, Mulá, eu estou ouvindo o burro ali dentro!"

Batendo a porta na cara do sujeito, Nasrudin afirmou, com dignidade: "Um homem que acredita na palavra de um burro mais do que na minha não merece receber nada emprestado".

POR TRÁS DO ÓBVIO

Toda sexta-feira de manhã, Nasrudin chegava ao mercado com um burro excelente, que ele vendia.

O preço que cobrava era sempre muito baixo; bem abaixo do valor do animal.

Um dia, um rico comerciante de burros se aproximou.

"Não entendo como você faz isso, Nasrudin. Eu vendo burros pelo menor preço possível. Meus empregados forçam os fazendeiros a me fornecer forragem de graça. Meus escravos cuidam dos burros sem receber pagamento. E, mesmo assim, não consigo bater seus preços."

"Muito simples", explicou Nasrudin, "você rouba forragem e trabalho. Eu apenas roubo burros."

OBJETIVIDADE

Um vizinho foi falar com Nasrudin sobre a interpretação de uma questão legal.

"Minha vaca foi chifrada pelo seu touro. Eu recebo alguma indenização?"

"De modo algum. Como um homem pode ser responsabilizado pelo que faz um animal?"

"Espere um pouco", disse o astuto aldeão, "receio ter invertido a questão. O que aconteceu, de fato, foi que o *meu* touro chifrou a *sua* vaca."

"Ah", respondeu o Mulá, "isso é mais complexo. Terei de consultar o livro de precedentes, pois talvez haja outros fatores envolvidos que, sendo relevantes, podem alterar o caso."

NINGUÉM RECLAMA...

Hamza, o tosco filósofo que espalhava truísmos na casa de chá, falava sua lenga-lenga: "Como é estranha a humanidade! E pensar que o homem nunca está satisfeito! Quando é inverno, é muito frio para ele. No verão, queixa-se do calor!".

As pessoas presentes assentiam com ar sábio, pois acreditavam que, fazendo isso, partilhavam da essência dessa sabedoria.

Nasrudin despertou de suas distrações: "Você já reparou que ninguém nunca reclama da primavera?".

QUÃO LONGE VOCÊ PODE ESTAR, PROVEITOSAMENTE, DA VERDADE?

Nasrudin viu alguns patos que pareciam saborosos brincando numa lagoa. Quando tentou capturá-los, voaram para longe. Ele jogou um pouco de pão na água e começou a comer.

Algumas pessoas perguntaram o que estava fazendo.

“Estou comendo sopa de pato”, respondeu o Mulá.

CREIO QUE VOCÊ TEM RAZÃO!

O Mulá foi nomeado juiz. No seu primeiro caso, o queixoso argumentou de forma tão persuasiva que ele exclamou:

"Creio que você tem razão!".

O escrivão suplicou para que se contivesse, pois o réu ainda não fora ouvido.

Nasrudin se deixou levar pela eloquência do réu a tal ponto que, assim que o homem terminou seu testemunho, exclamou:

"Creio que você tem razão!".

O escrivão não podia permitir isso.

"Meritíssimo, não é possível que *ambos* tenham razão."

"Creio que você tem razão!", concluiu Nasrudin.

PARECE SER TU!

Nasrudin, completamente absorto na praça do mercado, recitava uma ode:

> "Ó minha amada!
> Todo o meu ser interior está tão impregnado de ti
> Que qualquer coisa que se apresenta à minha visão
> Parece ser tu!".

Um gaiato gritou:

"E se um tolo entrar no seu campo de visão?".

Sem hesitação, como se fosse um estribilho, o Mulá continuou:

"... Parece ser *tu*!".

ESCADA À VENDA

Nasrudin subiu num muro, puxou sua escada e apoiou-a no jardim do outro lado.

O proprietário o pegou em flagrante e perguntou o que estava fazendo lá.

"Eu... Tenho uma escada para vender", improvisou Nasrudin.

"Tolo!", exclamou o dono da casa. "Um jardim não é lugar de vender escadas."

"Você que é tolo", argumentou o Mulá, "pois não sabe que uma escada pode ser vendida em absolutamente qualquer lugar."

POR QUE CAMELOS NÃO TÊM ASAS

"A cada dia", disse Nasrudin à sua esposa, "fico mais impressionado com a maneira como a natureza é organizada, e com o modo como cada coisa sobre esta terra é, de alguma forma, planejada para o benefício da humanidade."

Ela pediu um exemplo.

"Bem, repare que os camelos não têm asas, pela misericórdia da Providência."

"Como isso nos ajuda?"

"Não está claro? Se eles tivessem asas poderiam se empoleirar em cima das casas e destruir os telhados; sem falar no barulho e no incômodo ao mascarem e cuspirem o alimento."

O OURO, O MANTO E O CAVALO

"Não posso arranjar um emprego", afirmou o Mulá, "porque já estou a serviço do Altíssimo."

"Nesse caso", disse sua esposa, "peça seu salário, porque todo empregador tem de pagar."

"Está certo", pensou Nasrudin. "Não fui pago simplesmente porque nunca pedi", falou em voz alta.

"Então é melhor você pedir."

Nasrudin foi até o jardim, ajoelhou-se e clamou: "Ó Allah, mande-me cem moedas de ouro, pois todos os meus serviços anteriores valem, no mínimo, isso".

Seu vizinho, um agiota, resolveu pregar uma peça em Nasrudin. Pegou uma sacola com cem moedas de ouro e lançou pela janela.

Nasrudin se ergueu com dignidade e levou o dinheiro para a esposa. "Sou um dos santos", disse a ela. "Aqui estão meus vencimentos."

Ela ficou muito impressionada.

Em pouco tempo, desconfiado com o entra e sai de entregadores levando comida, roupas e móveis para a casa de Nasrudin, o vizinho foi pegar seu dinheiro de volta.

"Você me ouviu pedir por ele e agora está fingindo que é seu", reagiu Nasrudin. "Você nunca o terá."

O vizinho disse que levaria Nasrudin ao tribunal de jurisdição sumária.

"Não posso ir assim", argumentou Nasrudin. "Eu não tenho roupas adequadas, e nem cavalo. Se aparecermos juntos, o juiz tenderá a seu favor por causa da minha aparência."

O vizinho tirou seu próprio manto e entregou a Nasrudin. Depois, fazendo-o montar seu cavalo, foram à presença do cádi.

O queixoso foi ouvido primeiro.

"Qual é a sua defesa?", o juiz perguntou a Nasrudin.

"Meu vizinho está louco."

"Que provas você tem, Mulá?"

"Qual prova melhor do que aquela que vem da sua própria boca? Ele acha que tudo lhe pertence. Se perguntar sobre o meu cavalo, ou até mesmo sobre meu manto, ele os reivindicará; sem falar no meu ouro."

"Mas eles *são* meus!", vociferou o vizinho.

Caso encerrado.

DÊ TEMPO A ELE

Nasrudin costumava se sentar no terraço de uma casa de chá. Um dia, um garotinho passou correndo e derrubou seu chapéu com um golpe. O Mulá não deu a mínima.

O mesmo aconteceu por vários dias consecutivos. Tudo o que o Mulá fazia era pegar o chapéu e colocá-lo novamente.

Alguém perguntou a Nasrudin por que é que ele não apanhava o menino, que era bem pequeno, e o castigava, ou pedia para alguém fazer isso.

"Não é assim que a coisa funciona", disse Nasrudin.

Um dia, pouco tempo depois, o Mulá estava atrasado. Quando chegou, viu que um soldado de aparência assustadora estava sentado em seu lugar. Nesse momento, o garotinho apareceu. A força do seu hábito era tal, que ele deu um tapa no quepe de pele do soldado. Sem dizer uma palavra, o soldado desembainhou a espada e cortou a cabeça do garoto; então, voltou a se sentar.

"Entende o que quero dizer?", indagou Nasrudin ao amigo que havia questionado sua inação.

O IOGUE, O PADRE E O SUFI

Nasrudin vestiu um manto sufi e decidiu fazer uma viagem de devoção. No caminho, encontrou um padre e um iogue, e os três decidiram se unir. Quando chegaram a um vilarejo, os outros dois pediram a ele que buscasse doações enquanto cumpriam com suas devoções. Nasrudin coletou algum dinheiro e comprou *halwa*.

Ele sugeriu que dividissem a comida, mas os outros, que não estavam com muita fome, disseram que deveriam esperar até a noite. Continuaram caminhando e, quando anoiteceu, Nasrudin pediu a primeira porção, "pois eu fui o meio pelo qual conseguimos a comida". Os outros discordaram: o padre alegou que representava um corpo hierárquico devidamente estruturado e, portanto, deveria ter a preferência; e o iogue porque, segundo ele, comia apenas uma vez a cada três dias e, portanto, deveria ganhar mais.

Finalmente, resolveram dormir. Aquele que relatasse o melhor sonho, pela manhã, teria a preferência do *halwa*.

De manhã, o padre contou: "Em meu sonho, vi o fundador da minha religião, que me fez um sinal de benção, destacando-me como especialmente abençoado".

Os outros ficaram impressionados, mas o iogue disse: "Sonhei que visitava o Nirvana e era completamente absorvido no nada".

Eles se voltaram para o Mulá, que relatou: "Sonhei que via o mestre sufi Khidr, que aparece apenas para os mais santificados. Ele dizia: 'Nasrudin, coma o *halwa*... Agora!'. E, claro, eu tive de obedecer".

LEMBRANÇA

Há um jogo chamado “eu me lembro”, que, mais do que qualquer outra coisa, tem sido causa de grande sofrimento. Ele mostra o quanto é difícil lembrar até mesmo de algo simples por um tempo prolongado.

Duas pessoas fazem um pacto de praticar “eu me lembro”. A partir daí, toda vez que uma delas entregar qualquer coisa à outra, aquela que recebe deve falar “eu me lembro!” ao aceitar o objeto.

A primeira pessoa que se esquecer de dizer essa frase em tais circunstâncias perde o jogo e paga uma prenda.

Nasrudin duelava “eu me lembro” com a esposa. O placar estava empatado e eles quase enlouqueceram, passando objetos de lá para cá, até que nenhum dos dois conseguiu mais suportar aquele ritmo. O Mulá elaborou um plano. Ele partiu em peregrinação à Meca.

Quando voltou, muitos meses depois, munido de um presente para entregar à esposa – para finalmente vencer o jogo no entusiasmo do reencontro –, ela foi recebê-lo no portão.

Em seus braços havia um pacote. “Não vou pegá-lo”, pensou o Mulá. Mas, quando chegou a poucos passos da esposa, ela disse: “Aqui está seu novo filho”.

O Mulá, tomado pela alegria, pegou a criança nos braços e se esqueceu de dizer “eu me lembro”.

A REFUTAÇÃO DOS FILÓSOFOS

Vários filósofos se reuniram em bando e viajaram de um país a outro, envolvendo os sábios locais em debates eruditos. Quando chegaram à cidade de Nasrudin, o prefeito enviou o Mulá para confrontá-los, pois todos os intelectuais que ele havia apontado eram sistematicamente derrotados por esses estrangeiros.

Mulá Nasrudin se apresentou. "É melhor você ir primeiro falar com aqueles que enfrentaram os filósofos", aconselhou o governante, "para ter alguma ideia a respeito dos métodos deles."

"De jeito nenhum", disse o Mulá, "quanto menos eu souber sobre os seus métodos de pensamento, melhor, pois não penso como eles, nem serei aprisionado por suas artificialidades."

O embate foi organizado num grande salão, diante de uma multidão de pessoas vindas de toda parte.

O primeiro filósofo deu um passo à frente para iniciar o debate.

"O que", ele perguntou ao Mulá, "é o centro da Terra?"

O Mulá apontou com sua pena. "O centro exato da Terra é o centro da área na qual meu burro, que ali se encontra, está pisando."

"Como você pode provar isso?"

"Ao contrário, refute você. Pegue uma fita métrica!"

O segundo filósofo perguntou: "Quantas estrelas há no céu?".

Nasrudin imediatamente respondeu: "Exatamente o mesmo número de pelos que há na pele do meu burro. Qualquer um que duvidar disso tem liberdade para fazer as duas contagens".

O terceiro filósofo indagou: "Quantas vias de percepção humana existem?".

"Muito fácil", respondeu Nasrudin. "Existem exatamente tantas quanto os pelos da sua barba, e posso demonstrá-lo, se quiser, arrancando-os um por um. São, também, equivalentes ao número de pelos no rabo do meu burro."

Os filósofos deliberaram entre si e se deram conta de que suas especulações teóricas não podiam ser comprovadas de modo lógico ou quantitativo. Em decisão unânime, candidataram-se a discípulos de Nasrudin.

PERGUNTE-ME OUTRA

"Segundo a opinião geral dos não iniciados", meditava Nasrudin, enquanto caminhava pela estrada, "os dervixes são loucos. No entanto, segundo os sábios, eles são os verdadeiros mestres do mundo. Gostaria de testar um deles, e também a mim mesmo, para ter certeza."

Foi então que viu uma figura alta, vestida como um dervixe Akldan – conhecidos como homens excepcionalmente iluminados – vindo em sua direção.

"Amigo", disse o Mulá, "gostaria de fazer um experimento, para testar seus poderes de penetração psíquica, e também a minha sanidade."

"Prossiga", consentiu o Akldan.

Nasrudin fez um súbito gesto de varredura com o braço e cerrou o punho. "O que tenho em minha mão?"

"Um cavalo, uma carroça e um cocheiro", respondeu o Akldan imediatamente.

Nasrudin foi petulante: "Não valeu, você me viu apanhá-los".

A RECOMPENSA

Nasrudin tinha boas notícias para o rei, mas só com muita dificuldade conseguiu arranjar uma audiência – embora, pela tradição, todos os súditos tivessem, teoricamente, direito ao acesso imediato à corte.

O rei ficou satisfeito com o que lhe foi comunicado. "Escolha sua recompensa", disse.

"Cinquenta chicotadas", pediu Nasrudin.

Intrigado, o rei ordenou que Nasrudin fosse açoitado.

Depois da vigésima quinta chibatada, Nasrudin clamou: "Chega!".

E continuou: "Agora, tragam meu sócio e deem-lhe a outra metade da recompensa. O camareiro, Vossa Majestade, não me permitiu vê-lo a menos que eu jurasse dar a ele exatamente metade do que quer que eu recebesse em troca das boas notícias".

O ALTO PREÇO DO APRENDIZADO

Nasrudin dconcluiu que poderia se beneficiar aprendendo algo novo.

Foi falar com um mestre de música:

"Quanto você cobra para ensinar a tocar alaúde?".

"Três moedas de prata no primeiro mês; depois, uma moeda de prata por mês."

"Excelente!", exclamou Nasrudin. "Começarei pelo segundo mês."

O MESTRE ESPIRITUAL

Um sábio encarquilhado, vindo de além de Ashsharq, uma terra longínqua do Oriente, chegou ao vilarejo. Suas exposições filosóficas eram tão abstrusas e, ao mesmo tempo, tão envolventes, que os frequentadores habituais da casa de chá logo se convenceram de que ele talvez pudesse lhes revelar os mistérios da vida.

Nasrudin o escutou por algum tempo. "Sabe", falou, "eu tive experiências parecidas com as que você teve em suas viagens. Eu também fui um mestre errante".

"Conte-me sobre isso, se você acha que é necessário", disse o ancião, um tanto contrariado com a interrupção.

"Ah, sim, é necessário", replicou o Mulá. E continuou:

"Por exemplo, a viagem que fiz pelo Kurdistão. Eu era bem-vindo aonde quer que fosse. Me hospedei em diversos monastérios, nos quais os dervixes ansiavam por me escutar. Fui acomodado gratuitamente em caravançarais, e comi de graça nas casas de chá. Por toda parte, as pessoas se impressionavam comigo".

O velho monge estava ficando impaciente com toda aquela propaganda pessoal. "Ninguém nunca se opôs a nada do que você dizia, nenhuma vez?", ele perguntou de maneira hostil.

"Ah, sim", respondeu Nasrudin. "Certa vez, fui espancado, colocado no tronco, e depois expulso da cidade."

"E por quê?"

"Bem, é que as pessoas de lá podiam entender turco, a língua com a qual eu transmitia meus ensinamentos."

"Mas e todas as pessoas que o haviam acolhido?"

"Ah, eram curdos; eles têm sua própria língua. Eu estava a salvo enquanto estivesse entre *eles*."

SOPA QUENTE, MÃOS FRIAS

Um homem que tinha ouvido falar que Nasrudin era muito sábio resolveu viajar para vê-lo. "Posso aprender algo com alguém assim tão sábio", ele pensou. "E há, necessariamente, método em sua loucura, bastando apenas encontrar o fator constante que a permeia. Afinal de contas, eu estudei muito e visitei muitas escolas metafísicas, o que me permitirá julgar e aprender, enquanto outros falharam."

Desse modo, ele empreendeu uma longa e exaustiva jornada até o casebre de Nasrudin, encarapitado na encosta de uma montanha.

Espiando pela janela, viu Nasrudin aninhado ao lado de um fogo fraco, soprando as mãos em concha. Assim que foi recebido, ele perguntou ao Mulá o que estava fazendo.

"Aquecendo minhas mãos com meu sopro", respondeu Nasrudin. Depois disso, nenhum dos dois puxou conversa e o Buscador ficou pensando se, afinal, Nasrudin concederia um pouco da sua sabedoria.

Em seguida, a esposa de Nasrudin trouxe duas tigelas de caldo. Nasrudin imediatamente começou a soprar a superfície do líquido. "Agora vou aprender algo", refletiu o Buscador. E perguntou em voz alta: "O que está fazendo, Mestre?".

"Soprando meu caldo para esfriá-lo", respondeu o Mulá.

"Esse homem é sem dúvida uma fraude e, provavelmente, um mentiroso", pensou o visitante, em seu íntimo. "Primeiro ele sopra para esquentar, depois sopra para esfriar. Como poderei acreditar em qualquer coisa que ele me disser?"

E foi embora.

"Esse tempo não foi perdido", disse para si mesmo, enquanto voltava pela trilha nas montanhas, "pois, pelo menos, comprovei que Nasrudin não é mestre."

UMA PALAVRA PARA ISSO

Nasrudin ficou sabendo que um homem queria aprender a língua curda, e se ofereceu para ensiná-lo. O conhecimento que o próprio Nasrudin tinha do curdo se resumia a algumas poucas palavras.

"Vamos começar com o termo curdo para 'sopa quente'", disse o Mulá, "que é 'aash'."

"Não entendi direito, Mulá. Como se diz 'sopa fria'?"

"Nunca se diz 'sopa fria'. Os curdos gostam da sua sopa quente."

CIÊNCIA

Um cientista e um lógico encontraram Nasrudin e começaram a discutir com ele enquanto caminhavam pela estrada. Nasrudin estava acuado. O cientista afirmou: "Não posso admitir que algo exista a menos que faça um teste, ou a menos que eu veja com meus próprios olhos". O lógico declarou: "Não posso empreender nada sem ter, antes, elaborado teoricamente".

De repente, Nasrudin se ajoelhou e começou a derramar algo em um lago à beira da estrada.

"O que está fazendo?", os dois perguntaram ao mesmo tempo.

"Sabem como o iogurte se multiplica quando é colocado no leite? Então... Estou adicionando um pouco de iogurte na água."

"Mas não dá para fazer iogurte assim!"

"Eu sei, eu sei... Mas... *Supondo* que dê!"

UMA PERGUNTA É UMA RESPOSTA

"Por que você sempre responde uma pergunta com outra pergunta, Mulá?"

"Eu faço isso?"

NÃO ESTAMOS TODOS?

Um dia, Nasrudin estava trotando com seu burro em todas as direções.

Alguém perguntou: “Para onde está indo, Nasrudin?”.

Ele respondeu: “Estou procurando meu burro!”.

O VALOR DA VERDADE

"Se querem a verdade", declarou Nasrudin a um grupo de Buscadores que foi escutar seus ensinamentos, "vocês têm de pagar por ela."

"Mas por que pagar por algo como a verdade?", perguntou alguém do grupo.

"Você não reparou", disse Nasrudin, "que é a escassez de uma coisa que determina seu valor?"

NÃO SE ARRISQUE

Um teólogo estava doente. Ele ouvira dizer que Nasrudin era um místico e, em seu quase delírio, convenceu-se de que aquilo tudo poderia, afinal, ter algum sentido. Então, mandou trazer o Mulá.

"Prescreva-me uma oração que possa aliviar minha passagem para o outro mundo, Mulá", ele pediu, "pois você tem a reputação de estar em contato com a outra dimensão."

"Com prazer", assentiu Nasrudin. "Aqui está: 'Deus me ajude; Diabo me ajude!'."

Esquecendo-se da sua enfermidade, o religioso levantou-se num pulo, escandalizado.

"Mulá, você deve estar louco!"

"De modo algum, meu caro. Um homem na sua situação não pode arriscar. Quando vê duas alternativas, deve tentar garantir que pelo menos uma delas funcione."

ADIVINHA

Um gaiato encontrou Nasrudin. Ele tinha um ovo no bolso. "Diga-me, Mulá, você é bom de adivinhação?"

"Não sou ruim", disse Nasrudin.

"Está bem; diga-me o que tenho no bolso."

"Dê uma dica."

"Tem a forma de um ovo, é amarelo e branco por dentro, e se parece com um ovo."

"Algum tipo de bolo", respondeu Nasrudin.

O MERCADOR

Um rico mercador passou alguns dias no vilarejo de Nasrudin. Mesmo sendo avarento, as pessoas eram respeitosas com ele.

Nasrudin perguntou a alguém: "Por que você o saúda toda vez que ele passa? Ele nunca lhe dá nenhuma gorjeta".

"Você não entende, ele é um mercador. Isso já é alguma coisa, não é? Além do mais, achamos que ele pode nos dar algo, um dia."

Uma semana após a partida do visitante, Nasrudin foi ao mercado. Comprou uma dúzia de melancias numa barraca e vendeu-as na barraca seguinte. Ele teve prejuízo com a transação. Então, fez o mesmo com alguma outra coisa. Quando tinha passado por quase todos os vendedores, foi até a casa de chá e, alegremente, pediu um chá rosa com chantili, aromatizado com cardamomo, e bem caro.

Em pouco tempo, a casa de chá se encheu de gente, todos ansiosos para saber o que tinha acontecido com Nasrudin. Alguém perguntou: "Mulá, por que você compra coisas e as vende sem se importar com o preço?".

"Como ousa me fazer perguntas!", bradou o Mulá. "Sou um mercador. Isso já é alguma coisa, não é? *E* posso dar-lhe algo, um dia!"

NÃO VÁ PENSANDO...

Nasrudin seguia pela estrada montado em seu burro, placidamente, quando o animal empinou de repente e ele caiu. Um grupo de meninos que brincava ali se alglomerou em volta dele, morrendo de rir.

Enquanto secavam as lágrimas dos olhos, Nasrudin se sentou e arrumou o turbante com uma dignidade impávida.

"E do que é que vocês estão rindo?"

"Mulá", disseram, gargalhando com a lembrança, "foi incrível de ver! Estamos rindo de você caindo do burro."

"Vocês não levaram em consideração", argumentou Nasrudin, "a possibilidade de que eu talvez tivesse um motivo para cair."

AS GALINHAS

Quase ninguém conseguia entender Nasrudin; às vezes ele extraía vitórias de derrotas, e outras vezes as coisas pareciam perder o rumo por causa das suas trapalhadas. Mas havia rumores de que ele vivia num plano diferente das outras pessoas. Certo dia, um rapaz decidiu observá-lo para ver como ele fazia para sobreviver, e se era possível aprender qualquer coisa com ele.

Ele seguiu Nasrudin até a margem do rio e o viu sentar sob uma árvore. De repente, o Mulá estendeu a mão e surgiu um bolo, que ele comeu. Fez isso três vezes. Então, esticou novamente a mão, pegou uma taça e bebeu até se fartar.

O jovem, incapaz de se conter, correu até Nasrudin e o agarrou, dizendo: "Conte-me como faz essas coisas maravilhosas e farei tudo o que você mandar".

"Contarei", assentiu Nasrudin, "mas, primeiro, você precisa entrar no estado de espírito correto. Então, tempo e espaço não terão o menor sentido, e bastará você estender a mão, que os camareiros do sultão lhe entregarão guloseimas. Há apenas uma condição."

"Eu aceito!", gritou o rapaz.

"Terá de seguir meu Caminho."

"Conte-me sobre ele."

"Só posso dizer uma coisa por vez. Você quer o exercício fácil ou o difícil?"

"Fico com o difícil."

"Esse é o seu primeiro erro. Você deve começar com o fácil. Mas, agora, não pode, pois já escolheu. O exercício difícil é assim: faça um buraco na sua cerca, grande o suficiente para que suas galinhas possam passar para o jardim do vizinho para ciscar, mas pequeno o bastante para que as galinhas do vizinho não consigam passar para o seu jardim para se alimentar."

O rapaz nunca conseguiu fazê-lo, e, portanto, nunca se tornou um discípulo de Nasrudin. E, quando dizia às pessoas o que Nasrudin era capaz de fazer, elas pensavam que *ele* estava louco.

"Esse é um bom começo", disse Nasrudin. "Um dia, você encontrará um mestre."

A ORAÇÃO É MELHOR DO QUE O SONO...

Assim que entoou o chamado para a oração, do alto do minarete, o Mulá foi visto se afastando, correndo da mesquita.

Alguém gritou: “Aonde vai, Nasrudin?”.

O Mulá berrou: “Esse foi o chamado mais penetrante que já fiz. Estou indo o mais longe possível para ver a que distância ele pode ser ouvido”.

O QUE É PARA SER

Um fazendeiro perguntou a Nasrudin se suas oliveiras dariam frutos naquele ano.

"Elas darão frutos", respondeu o Mulá.

"Como você sabe?"

"Simplesmente sei."

Mais tarde, o mesmo homem viu Nasrudin trotando em seu burro pela costa, procurando madeira à deriva.

"Não há madeira por aqui, Mulá, eu procurei", gritou.

Horas mais tarde, o mesmo homem viu Nasrudin se dirigindo para casa, exausto, ainda sem lenha.

"Você é um homem de percepção, que pode saber se uma oliveira dará frutos ou não. Por que não consegue saber se há madeira na praia?"

"Eu sei o que *tem de* ser", respondeu Nasrudin, "mas não sei o que *pode* ser."

O LÓGICO

Nasrudin chegou a um vilarejo e subiu numa cadeira no meio do mercado.

Quando uma multidão havia se aglomerado, ele declarou:

“Saiba, ó povo, que o ar aqui é semelhante ao ar que paira sobre minha cidade”.

“Por que você pensa assim?”, alguém berrou.

“Posso ver aqui o mesmo número de estrelas que vejo quando estou lá.”

GATO ESCALDADO

Um homem pediu dinheiro emprestado a Nasrudin. O Mulá achou que nunca o receberia de volta, mas deu o dinheiro mesmo assim.

Para sua surpresa, o empréstimo foi prontamente pago. Nasrudin ficou cismado.

Algum tempo depois, o mesmo homem pediu uma quantia maior emprestada, dizendo: "Você sabe que tenho crédito, eu paguei direitinho da outra vez".

"Ah, não, seu patife!", esbravejou Nasrudin. "Você me enganou da última vez, quando pensei que não devolveria o dinheiro. Não vai se dar bem uma segunda vez!"

BOAS NOVAS

No oriente, pessoas que trazem boas novas sempre são recompensadas. Esse costume é considerado muito importante, e nunca é rompido.

Um dia, Mulá Nasrudin, encantado com o nascimento de um filho, foi até o mercado e começou a gritar: "Venham, venham! Trago boas novas!".

"O que é, Mulá?"

Nasrudin esperou até que todos estivessem presentes e clamou: "Ó povo! Façam uma arrecadação para o portador da boa notícia, uma notícia para todos vocês! Eis a novidade: seu Mulá foi abençoado com um filho!".

O CÃO AOS SEUS PÉS

Mulá Nasrudin costumava perambular por cemitérios, refletindo sobre a vida e a morte. Um dia, ele desempenhava essa edificante atividade, quando viu um cão feroz rastejando perto de um túmulo.

Indignado com essa profanação, pegou um pedaço de pau e ameaçou o cão. O animal começou a rosnar, e estava prestes a atacá-lo.

O Mulá não era de se expor a perigos que pudesse evitar. "Fique sentado aí, à vontade", disse, tentando tranquilizar o cachorro, "pois não há nenhuma objeção, desde que você rasteje aos pés do morto."

FATOS SÃO FATOS

Quando o Mulá foi nomeado cádi (juiz), deparou-se com um problema complicado.

Em um caso de agressão, o queixoso acusou o réu de ter mordido sua orelha. A defesa alegava que ele havia mordido a si mesmo.

"Temos aqui um claro conflito de evidências, pois não há testemunhas", disse o Mulá. "Existe apenas uma maneira de deliberar sobre o caso. Assim, a sessão está em recesso por meia hora."

Ele foi para uma sala contígua ao tribunal e passou o tempo todo tentando morder a própria orelha. Toda vez que tentava, perdia o equilíbrio e caía, machucando a cabeça.

Quando retomaram a audiência, o Mulá concluiu: "Examinem a cabeça do queixoso. Se estiver machucada, ele mordeu a própria orelha, e meu veredito é a favor do réu. Mas se, por outro lado, não estiver ferida, o outro homem mordeu a orelha dele e isso é agressão".

NÃO É PARA LEVAR EMBORA

"Vou introduzir você à metafísica", disse Nasrudin a um vizinho em quem via uma centelha de discernimento, ainda que pequena.

"Ficaria encantando", respondeu o homem. "Venha à minha casa qualquer hora dessas e vamos conversar."

Nasrudin se deu conta de que o homem achava que o conhecimento místico poderia ser inteiramente transmitido no boca a boca. E não disse mais nada.

Alguns dias mais tarde, o vizinho chamou Nasrudin do alto do telhado. "Nasrudin, preciso da sua ajuda para soprar o fogo, a brasa está se apagando."

"Claro", respondeu Nasrudin. "Meu sopro está à sua disposição; venha aqui e pegue o quanto puder levar."

NÃO É PROBLEMA MEU SABER

O burro de Nasrudin foi roubado.

Ele foi imediatamente à polícia.

"Mulá", disse o delegado, "isso é grave. Não pouparemos esforços para reaver o seu burro. Afinal, você é bastante famoso. Agora, comece do começo e conte-me como aconteceu."

"Se eu não estava lá quando aconteceu, não tenho como lhe contar, tenho?", indagou Nasrudin. "Além disso, não é problema meu saber."

NÃO É TÃO SIMPLES QUANTO PARECE

Uma viúva foi ao tribunal do Mulá e relatou: "Sou muito pobre. Meu filho adolescente come muito açúcar; na verdade, ele é viciado em açúcar. Isso significa que não consigo arcar com as despesas. Será que o tribunal poderia proibi-lo de comer açúcar? Porque eu mesma não consigo forçá-lo a parar".

"Madame", respondeu o Mulá, "esse problema não é tão simples quanto parece. Volte em uma semana e, após ter examinado cuidadosamente o caso, a decisão será tomada."

Uma semana mais tarde, o nome da mulher estava novamente na lista de suplicantes.

"Sinto muito", disse-lhe Nasrudin quando chegou sua vez, "haverá outro adiamento desse intrincado caso para a próxima semana."

A mesma coisa ocorreu na quinzena seguinte. Até que, finalmente, Nasrudin anunciou: "O tribunal dará, agora, seu veredicto. Chamem o rapaz".

O jovem foi levado à presença do Mulá. "Garoto!", exclamou o juiz em tom ameaçador. "Você está proibido de comer mais de 15 gramas de açúcar por dia."

A mulher manifestou sua gratidão ao Mulá e pediu permissão para fazer uma pergunta.

"Diga", consentiu Nasrudin.

"Vossa Excelência, estou intrigada com uma coisa: por que não proibiu o garoto de comer açúcar nas audiências anteriores?"

"Bem", respondeu Nasrudin, "eu tinha primeiro de me livrar do meu próprio hábito, não é mesmo? Como eu poderia saber que demoraria tanto tempo?"

REPETITIVIDADE

Aproveitando-se da imensa reputação que os sufis têm como mestres detentores de uma percepção especial, um grupo de ladrões se instalou em um monastério abandonado na estrada, fingindo que eram dervixes sufis.

Nasrudin e seu filho pequeno estavam em uma longa jornada, quando foram avistados pelo sentinela dos ladrões. Eles imediatamente começaram a conduzir uma dança ritmada, fazendo muito barulho.

Chegando lá, Nasrudin disse ao filho: "A noite cairá em breve, e esse parece ser um monastério de dervixes desenvolvidos. Vamos solicitar sua hospitalidade".

Os falsos dervixes os acolheram calorosamente e chegaram a convidar o Mulá para unir-se a eles em seus exercícios especiais, que consistiam em um rápido movimento circular, acompanhado da repetição de frases que eram modificadas de tempos em tempos pelo líder.

Logo, Nasrudin estava rodopiando com os melhores dentre eles, reproduzindo os clamores repetitivos, num estado de espírito quase histérico. Em seguida, o líder dos "dervixes" começou a gritar: "Dou-lhe meu burro! Dou-lhe meu burro!".

Obedientemente, Nasrudin ecoou o refrão, e o ritmo se acelerou até que ele caiu desmaiado.

Quando acordou com o dia amanhecendo, Nasrudin constatou que os ladrões e o burro haviam desaparecido. "Pensei que tinha deixado você responsável pelo animal!", vociferou com o filho.

“Sim, pai. Mas quando um dos dervixes veio pegar o burro, corri ao seu encontro e você gritava ‘dou-lhe meu burro!’ tantas vezes, e diante de tantas testemunhas, que eu pensei que você o havia doado.”

NUNCA PERCA UMA PECHINCHA

Nasrudin tinha tantas queixas contra seu burro que a coisa óbvia a fazer era vendê-lo e comprar outro. Então, foi ao mercado, encontrou um leiloeiro e entregou o burro para ser vendido.

O animal foi posto à venda, e o Mulá ficou assistindo. "O próximo item", anunciou o leiloeiro, "é este esplêndido, inigualável, maravilhoso burro. Quem dará o primeiro lance de cinco moedas de ouro?"

"Só cinco por um burro?", Nasrudin ficou chocado. Então ele deu o primeiro lance. À medida que o preço ia subindo, com o leiloeiro exaltando as qualidades do burro a cada lance, Nasrudin ia ficando mais e mais ansioso para comprá-lo. Por fim, os lances se reduziram a uma disputa entre o Mulá e um fazendeiro. Por quarenta moedas de ouro, foi arrematado por Nasrudin.

Ele pagou ao leiloeiro a comissão de um terço e pegou sua parte do dinheiro como vendedor; então tomou posse do burro como comprador. O burro valia, talvez, vinte moedas de ouro. Portanto, ele perdeu dinheiro; mas havia comprado um burro cujos méritos – agora se dava conta – havia ignorado até serem descritos tão ardentemente pelo leiloeiro da cidade.

"Eu nunca perco uma pechincha", disse Nasrudin para si mesmo, enquanto caminhava para casa com seu prêmio.

O PRESSÁGIO QUE DEU CERTO

Um ladrão estava roubando o manto de Nasrudin. Coincidentemente, naquele mesmo instante, o burro começou a zurrar.

Nasrudin ficou exultante e gritou: "Um maravilhoso presságio! Boas novas! O zurro de um jumento traz proteção!".

O ladrão levou um susto tão grande com a barulheira, que deixou o manto cair e fugiu.

A MUDANÇA

Desde a infância, Nasrudin era conhecido como "do contra". Sua família estava tão acostumada com esse hábito, que sempre lhe dizia para fazer o oposto daquilo que queria que ele fizesse.

Em seu aniversário de catorze anos, Nasrudin e seu pai foram ao mercado levando um burro carregado de farinha. Quando o dia raiou, atravessavam uma vacilante ponte de corda e a carga começou a escorregar.

"Rápido, Nasrudin", berrou o pai, "levante a carga do lado esquerdo, senão perderemos a farinha."

Nasrudin imediatamente levantou o saco da esquerda. Com isso, toda a carga de farinha se desequilibrou e caiu na corredeira abaixo.

"Tolo patético!", exclamou o pai. "Você não faz sempre o contrário? Eu não especifiquei que era a carga do lado esquerdo, querendo dizer do direito?"

"Sim, pai. Mas agora tenho catorze anos. Desde o amanhecer, sou considerado um adulto racional, e portanto obedeço às suas ordens."

O VALOR DE UM DESEJO

Nasrudin tinha um búfalo cujos chifres eram bem separados. Ele sempre imaginava que, se pudesse montar entre eles, seria como sentar num trono.

Um dia, o animal se abaixou perto dele e ele simplesmente teve de se sentar entre seus chifres. Não deu para resistir à tentação. O búfalo quase que imediatamente se levantou e arremessou-o para longe.

A esposa do Mulá, ao encontrá-lo caído no chão e aturdido, começou a chorar.

"Não chore!", disse o Mulá, quando voltou a si. "Sofri minha pena, mas pelo menos realizei meu desejo."

QUANDO SE PREOCUPAR

O burro de Nasrudin tinha sumido. Todos o ajudavam a procurar pelo bairro.

Alguém comentou: "Você não parece nada preocupado. Você sabe que seu burro talvez nunca seja encontrado, não é?".

Nasrudin respondeu: "Vê aquele morro ali? Ninguém procurou lá ainda. Se ele não for encontrado lá, *aí* vou começar a me preocupar".

SENÃO...

Nasrudin andava pelo vilarejo gritando: "Perdi meu alforje. Encontrem-no!", e continuou num tom ameaçador, "Senão...".

Alarmadas, as pessoas corriam em todas as direções procurando pela bolsa. Ela acabou aparecendo.

"O que você teria feito, Mulá", alguém perguntou, "se não tivéssemos encontrado seu alforje?"

"Eu teria fabricado outro com algum material que tenho em minha oficina."

QUÃO LONGO É LONGO DEMAIS?

Um homem queria encurtar o rabo de um cavalo. Perguntou ao Mulá de que tamanho deveria deixá-lo.

"Não faz muita diferença", respondeu Nasrudin, "porque, independentemente do que fizer, as opiniões vão divergir; até mesmo a sua própria opinião, de tempos em tempos. Longo demais... Não, curto demais..."

ANACRONISMO

"Por que está sentado nessa encruzilhada, Mulá?"

"Algum dia, algo acontecerá aqui e uma multidão se reunirá. Quando isso acontecer, pode ser que eu não consiga chegar perto o suficiente, então estou alocando meu tempo agora."

NÃO HÁ TEMPO A PERDER

Nasrudin correu para um compromisso numa cidade vizinha, completamente nu. As pessoas lhe perguntaram por quê.

"Estava com tanta pressa de me vestir, que esqueci minhas roupas."

ALTRUÍSMO

Repetidas vezes, Nasrudin tentou fazer um turbante com um pedaço de tecido que lhe deram, mas era muito curto. Por fim, foi ao mercado e o entregou a um leiloeiro para que vendesse.

Quando o leilão começou, ele ouviu o leiloeiro fazendo os maiores elogios ao tecido, e os lances só aumentavam.

"Não suporto ouvir tantas coisas boas sendo ditas sobre um maldito pedaço de pano que me causou tanto transtorno", pensou o Mulá. "Será mesmo que devo esconder os defeitos de uma coisa tão desprezível?"

Então, esgueirou-se até o homem que havia dado o último lance e cochichou no seu ouvido: "Não vale a pena comprar aquela musselina como turbante, é muito curta".

TALVEZ HAJA UMA ESTRADA LÁ EM CIMA

Alguns garotos planejavam roubar os chinelos do Mulá e fugir com eles. Chamaram-no e apontaram para uma árvore: "Ninguém consegue subir naquela árvore".

"Qualquer um de vocês conseguiria", discordou Nasrudin, "e vou lhes mostrar."

Tirou os chinelos, meteu-os no cinto e começou a escalar.

"Mulá", berraram, "você não precisa de chinelos numa árvore."

Nasrudin, que havia tido a sensação, sem saber por quê, de que deveria levar seus chinelos consigo, reprovou-os: "Estejam preparados para qualquer emergência. Pelo que sei, eu poderia muito bem encontrar uma estrada lá em cima".

O ANÚNCIO

Nasrudin ficou de pé no meio do mercado e falou para a turba:

"Ó povo! Querem vocês conhecimento sem dificuldade, verdade sem falsidade, realização sem esforço, progresso sem sacrifício?".

Rapidamente, uma multidão se acercou gritando: "Sim, sim!".

"Excelente!", disse o Mulá. "Eu só queria saber. Podem confiar em mim para contar-lhes tudo a respeito, se algum dia eu descobrir algo assim."

O QUE ESTÁ ACIMA E O QUE ESTÁ ABAIXO...

Um nobre cabeça dura havia obtido do sultão os direitos de meação da colheita nas terras ocupadas por Nasrudin. Quando o oficial de justiça perguntou qual colheita queria partilhar, ele simplesmente respondeu: "Registre apenas: 'tudo o que estiver acima do solo'".

Ele se apresentou na casa do Mulá com a ordem devidamente selada. Mas, naquele ano, Nasrudin havia plantado nabos e a porção acima do solo não somava muita coisa.

No ano seguinte, o citadino veio para pegar sua parte, tendo especificado na ordem: "toda a colheita abaixo do solo". Nesse ano, no entanto, o Mulá estava cultivando trigo.

O ESPECULADOR

Nasrudin comprou uma grande quantidade de ovos e, logo em seguida, vendeu-os por um preço abaixo do custo.

Quando lhe perguntaram por que havia feito isso, ele respondeu: "Certamente você não quer que me chamem de aproveitador, quer?".

MAIS ESCANDALOSO QUE UM BOI

Nasrudin roubou um boi, matou-o e removeu seu couro.

O dono seguiu as pistas do crime, chegou até ele e começou a gritar e a lamuriar-se.

"Estranho", disse Nasrudin, "como causa e efeito operam. Eu matei um *animal* e é o *dono* que se comporta como se estivesse sendo esfolado."

NÃO FUI EU QUE COMECEI

Nasrudin foi à mesquita e sentou-se. Sua camisa era bem curta e o homem atrás dele a puxou para baixo, considerando-a inadequada.

Nasrudin imediatamente puxou a camisa do homem à sua frente.

"O que está fazendo?", perguntou o homem.

"Não pergunte a mim, e sim ao homem atrás de mim: foi ele que começou."

NA MESQUITA

Nasrudin estava sentado, meditando numa mesquita, no final de uma fileira de fiéis. De repente, um deles falou, involuntariamente: "Será que esqueci o fogo aceso em casa?".

O homem ao seu lado disse: "Você quebrou seu silêncio e estragou a oração. Agora terá de repeti-la".

"Você também", retrucou o homem ao lado.

"Louvado seja Allah", exclamou Mulá Nasrudin, em voz alta, "por eu não ter quebrado o silêncio."

OVOS

Um grupo de jovens levou ovos para um banho turco onde Nasrudin era aguardado.

Quando ele entrou na sauna onde estavam, eles falaram: "Vamos imaginar que somos galinhas e vejamos se conseguimos botar ovos. Aquele que não conseguir deve pagar a entrada do banho para todos".

Nasrudin concordou.

Após alguns cacarejos, cada um pegou um ovo de trás de si e mostrou-o para os outros. Então, perguntaram a Nasrudin onde estava sua contribuição.

"No meio de tantas galinhas", disse Nasrudin, "sem dúvida deve haver *um* galo."

ALLAH PROVERÁ

"Allah proverá", disse Nasrudin, certo dia, a um homem que reclamava porque alguém havia roubado dinheiro da sua casa.

O homem se mostrou duvidoso.

Nasrudin o levou à mesquita e, rolando no chão, rogou a Allah que restituísse as vinte moedas de prata do homem.

Incomodados com a sua presença, a congregação fez uma arrecadação e o montante foi entregue ao surpreso destituído.

"Você pode não entender os meios que operam nesse mundo", disse o Mulá, "mas acredito que compreenda os fins, quando lhe são entregues de forma tão concreta."

A ESCOLA

Um dos garotos da escola do Mulá perguntou:

"Qual desses feitos é maior: o do homem que conquistou um império; o do homem que poderia ter conquistado, mas não o fez; ou o do homem que impediu outro de fazê-lo?".

"Não sei nada sobre isso", respondeu o Mulá, "mas sei de uma tarefa mais difícil do que qualquer uma dessas."

"Qual?"

"Tentar ensinar-lhes a ver as coisas como realmente são."

CLARIVIDÊNCIA

"Ei, Mulá", gritou um nobre altivo passando por Nasrudin na estrada, "qual dessas direções devo tomar para a capital?"

"Como você sabia que eu era um Mulá?", perguntou Nasrudin.

O nobre tinha usado a palavra aleatoriamente, mas, querendo tirar vantagem sobre o caipira, respondeu: "Posso ler a mente das pessoas".

"Muito bem", disse Nasrudin, safando-se, "então leia o caminho para a capital."

EXTENSÃO INVISÍVEL

Nasrudin viu um homem vendendo uma espada muito bem feita no mercado. "Como um pedaço de aço pode valer cinquenta moedas de ouro?", indagou.

O leiloeiro percebeu que ele não era um conhecedor de arte e respondeu: "Essa é uma espada mágica. Durante a batalha, ela se estica por muitos metros e alcança o inimigo".

Em alguns minutos, o Mulá voltou com um pegador de carvão. "Venda isso", disse ao leiloeiro, "e informe que o preço inicial é cem moedas de ouro."

"Acho que dificilmente você conseguirá mais do que algumas moedas de cobre por ele", retrucou o homem.

"Bobagem", replicou o Mulá. "Ele pode parecer um pegador comum, mas quando minha mulher o lança em minha direção, mesmo a dez metros de distância, ele atravessa o espaço, estendendo-se invisivelmente."

IDENTIDADE TROCADA

Mulá Nasrudin tinha se desentendido com o *shaykh* de um monastério onde estava hospedado. Um dia, um saco de arroz sumiu e o chefe ordenou que todos se enfileirassem no pátio. Então, disse-lhes que o homem que havia roubado o arroz tinha alguns grãos em sua barba.

"Esse é um velho truque para fazer com que o culpado toque sua barba", refletiu o verdadeiro ladrão e ficou imóvel.

"O chefe está tentando se vingar de mim", pensou Nasrudin, "e certamente colocou arroz em minha barba. É melhor eu remover o mais discretamente possível."

Passou os dedos entre a barba, e viu que todos olhavam para ele.

"Eu sabia que, mais cedo ou mais tarde, você me pegaria", disse Nasrudin.

RACIOCÍNIO DEDUTIVO

“Quantos anos você tem, Mulá?”, alguém perguntou.

“Três anos a mais que meu irmão.”

“Como sabe disso?”

“Raciocinando. Ano passado, ouvi meu irmão dizer a alguém que eu era dois anos mais velho que ele. Um ano se passou. Isso significa que estou um ano mais velho. Em pouco tempo, estarei velho o bastante para ser seu avô.”

QUE SEJA TRIGO

Um vizinho pediu ao Mulá Nasrudin para depor em seu favor numa disputa pela posse de uma certa quantidade de cereal.

"Você viu a transação?", o juiz perguntou a Nasrudin.

"Sim, vi claramente os sacos de cevada passarem de uma mão para a outra."

"Mas esse caso envolve sacos de *trigo*, e não de cevada!"

"Isso é irrelevante. Estou aqui para dizer que meu amigo está certo. Como uma falsa testemunha, certamente posso dizer qualquer coisa sem que isso seja usado contra mim."

O GÊNIO

O filho pequeno de Nasrudin tagarelava: “Papai, eu me lembro do dia em que *você* nasceu”.

O Mulá voltou-se triunfante para sua esposa: “Aí está, Karima; sem dúvida isso prova que esse meu filho é um gênio!”.

POR QUÊ?

Um cidadão intrometido, querendo ser recompensado por levar boas novas, correu até a casa do Mulá, certo dia.

"Nasrudin! Trago boas notícias!"

"O que é?"

"Estão assando bolo na casa ao lado!"

"E o que *eu* tenho a ver com isso?"

"Mas vão lhe dar uma parte!"

"E o que *você* tem a ver com isso?"

O QUE CONTA É O QUE ELE DIZ

Um vizinho cruel queria o burro de Nasrudin emprestado.

"Terei de pedir a permissão dele", disse o Mulá.

"Está bem, vá e pergunte a ele."

Nasrudin logo voltou do estábulo.

"Sinto muito, ele é dotado de premonição e disse que o futuro não traz bons presságios para a relação de vocês", comunicou ao homem Nasrudin.

"E o que ele previu?"

"Eu perguntei. Ele simplesmente respondeu: 'Longas jornadas e minguadas refeições; ossos doloridos e joelhos gastos'."

O QUE ELE ENCONTRARÁ?

"Há um ladrão lá embaixo", disse a esposa de Nasrudin, certa noite.

"Não faça barulho", sussurrou o Mulá. "Se quiser encontrar alguma coisa aqui, primeiro ele mesmo terá de trazê-la para dentro de casa. Talvez ele até deixe algo para trás."

SÓ POR PERGUNTAR

"Soube que você tem um vinagre de quarenta anos", disse um vizinho a Nasrudin. "Você me daria um pouco?"

"É claro que não", respondeu o Mulá. "Ele não teria quarenta anos se eu ficasse distribuindo por aí, teria?"

CHEGAMOS E PARTIMOS

"De onde viemos e para onde vamos, e como é lá?", bramiu um dervixe errante.

"Não sei", respondeu Nasrudin, "mas deve ser bem horrível."

Um espectador perguntou-lhe por quê.

"A observação me mostra que, quando chegamos como bebês, estamos chorando. E muitos de nós se vão, também, relutantes e chorando."

O KARKORAJAMI

"O que é um kar-kor-ajami?", alguém perguntou ao filho pequeno de Nasrudin, que falava sobre personagens de contos de fadas.

"Ora, é o que o nome significa", respondeu o garoto. "É uma coisa-cega-surda-e-muda-que-anda."

"Sim", interrompeu o Mulá, "e eu a ensinei a ser essas coisas."

O CHEIRO DE UM PENSAMENTO

Nasrudin estava sem um tostão, envolto num cobertor e todo encolhido, enquanto o vento uivava lá fora. "Pelo menos", pensou, "as pessoas da casa ao lado não sentirão cheiro de comida vindo da minha cozinha, e não virão mendigar um prato de comida."

Nisso, a ideia de uma sopa quente, perfumada, veio à sua cabeça e ele a saboreou mentalmente por vários minutos.

Então bateram à porta. "Minha mãe me mandou aqui", disse a filha da vizinha, "para perguntar se você teria um pouco de sopa para nos dar, uma sopa quente e temperada."

"Meu Deus do céu", retrucou Nasrudin, "os vizinhos sentem o cheiro até dos meus pensamentos."

O LADRÃO

Um ladrão entrou na casa de Nasrudin e levou quase todos os pertences do Mulá para sua própria casa. Nasrudin ficou assistindo da rua. Alguns minutos mais tarde, Nasrudin pegou um cobertor, seguiu o ladrão, entrou na sua casa e se deitou, fingindo que estava indo dormir.

"Quem é você e o que está fazendo aqui?", perguntou o ladrão.

"Bem", respondeu o Mulá, "nós estávamos de mudança, não estávamos?"

UMA QUESTÃO DE TEMPO, E NÃO DE LUGAR

Um homem chamou à porta, querendo uma corda emprestada.

"Você não pode levá-la", disse Nasrudin.

"Por que não?"

"Porque está em uso."

"Mas estou vendo a corda ali, jogada no chão."

"Isso mesmo, esse é seu uso."

"Até quando será utilizada dessa forma, Mulá?"

"Até o momento em que eu tenha vontade de emprestá-la", respondeu Nasrudin.

TUDO EM NOME DA MINHA ESPOSA

Nasrudin estava comendo um enorme frango assado quando um homem pobre passou e, espiando pela janela, pediu:

"Por favor, dê-me um pouco dessa ave, pois estou faminto".

"Com prazer", respondeu Nasrudin. "Por mim, eu lhe daria o frango todo. Mas, infelizmente, ele pertence à minha esposa."

ESPERANDO O FERMENTO FAZER CRESCER

A esposa de Nasrudin o mandou ir até o rio para buscar água. Ela não podia ir, explicou, apesar de ser uma tarefa de mulher, porque estava esperando a massa crescer.

O Mulá caminhou até a margem do rio, mergulhou o vasilhame e perdeu-o na água.

Uma hora mais tarde, ele ainda estava sentado ali, olhando fixamente para o fundo do rio. Alguém que passava perguntou o que ele estava fazendo.

"Estou esperando", respondeu, "a massa crescer."

ATÉ O FOGO

O Mulá tentava manter o fogo aceso, mas as brasas não produziam chamas, independente do quanto ele soprasse nelas.

Perdendo a paciência, ele gritou:

"Se você não acender, chamarei minha esposa!" E soprou com mais força ainda. O carvão brilhou com mais intensidade, então ele apanhou o chapéu da esposa e o colocou, para aumentar o efeito. Subitamente, viu uma chama.

Nasrudin sorriu. "Até o fogo tem medo da minha esposa!"

MAIS TARDE DO QUE VOCÊ PENSA

Decidido, finalmente, a jejuar durante os trinta dias do Ramadã, Nasrudin pensou em fazer a contagem colocando uma pedra dentro de uma vasilha para cada dia de jejum.

Sua filha pequena, ao ver o que o pai estava fazendo, começou a catar pedras em todo o jardim e colocá-las na vasilha também. Nasrudin não estava ciente disso.

Poucos dias depois, alguns viajantes que passavam por ali lhe perguntaram quantos dias do mês do jejum haviam se passado. Nasrudin correu até a vasilha e contou as pedras. Então, voltou e disse:

"Quarenta e cinco".

"Mas um mês tem apenas trinta dias!"

"Não estou exagerando", argumentou o Mulá, com dignidade, "muito pelo contrário. O número verdadeiro é cento e cinquenta e três."

POR CONTA PRÓPRIA

O rei havia permitido que um elefante de estimação andasse solto nas proximidades do vilarejo de Nasrudin, e o animal estava destruindo as plantações.

O povo decidiu ir em bando até Tamerlão para protestar. Nasrudin, conhecido por, às vezes, entreter o rei, foi nomeado líder da delegação.

Eles ficaram tão intimidados com a magnificência da corte, que empurraram Nasrudin para dentro do salão de audiências e fugiram.

"Sim", perguntou o rei, "o que quer, Nasrudin?"

"É sobre o seu elefante, Vossa Majestade...", gaguejou o Mulá, percebendo que o rei estava de mau humor naquela manhã.

"Sim... O que tem meu elefante?"

"Nós... Quero dizer, eu... Estava pensando que ele precisa de companhia!"

OS LIMITES DA PERCEPÇÃO

Carregando alguns galos para um determinado lugar, Nasrudin pensou em soltá-los um pouco, permitindo que andassem parte do caminho. Eles começaram a ciscar por todos os lados.

"Tolos!", gritou Nasrudin. "Vocês sabem quando vai amanhecer; como é possível que não consigam entender para onde estou indo?"

EM QUAL SENTIDO?

Um homem que havia estudado em várias escolas metafísicas foi ver Nasrudin. Para mostrar que podia ser aceito como discípulo, descreveu em detalhes onde havia estado e o que havia estudado.

"Espero que você me aceite, ou que pelo menos fale sobre as suas ideias", ele disse, "pois eu passei grande parte do meu tempo estudando nessas escolas."

"Ai!", exclamou Nasrudin, "*você* estudou os mestres e seus ensinamentos. O que deveria ter acontecido era os mestres e os ensinamentos terem estudado *você*. Assim, teríamos obtido algo valioso."

O CAVALO DO LEITEIRO

Nasrudin decidiu vender lenha e comprou, por um preço baixo, o cavalo de um leiteiro para ajudá-lo em suas visitas. O cavalo conhecia sua antiga rota, e sempre parava após algumas casas e relinchava alto. As pessoas saíam com garrafas de leite e praguejavam contra o Mulá quando viam que ele carregava apenas lenha.

Finalmente, Nasrudin não aguentou mais e levantou o punho cerrado para o cavalo, dizendo: "Vamos resolver isso de uma vez por todas: quem está vendendo, você ou eu? Você relincha para anunciar a lenha, e eles me atacam por não trazer o leite".

QUAL É O SENTIDO DE TUDO ISSO?

Nasrudin estava deitado sob uma amoreira num dia quente de verão, observando algumas melancias enormes que cresciam ali perto. Seu pensamento se dirigiu para coisas elevadas.

"Como é possível", perguntou-se, "que uma árvore imensa, impressionante, como essa amoreira, dê frutos tão pequenos e franzinos? Olhe para aquela pobre e frágil trepadeira que produz melancias tão grandes e deliciosas..."

Enquanto ponderava sobre esse paradoxo, uma amora caiu e aterrissou na sua cabeça raspada.

"Entendo", disse Nasrudin. "Essa é a razão, não é? Eu deveria ter pensado nisso antes."

ESPECIALISTA EM PIRÂMIDES

Nasrudin estava sentado no galho de uma árvore, cheirando as flores e tomando sol.

Um viajante perguntou o que ele estava fazendo ali.

"Escalando a Grande Pirâmide."

"Você não está nem perto de uma pirâmide. E há quatro caminhos para subir numa pirâmide, um em cada face. Isso é uma árvore!"

"Sim!", replicou o Mulá. "Mas é muito mais divertido desse jeito, não acha? Pássaros, flores, brisa, sol. Não consigo imaginar como eu poderia me sair melhor."

ONDE ESTOU SENTADO

Em uma reunião de teólogos, Nasrudin estava sentado bem no fundo da sala, o mais longe possível do lugar de honra. Logo, começou a contar piadas e rapidamente as pessoas se amontoaram em torno dele, rindo e ouvindo. Ninguém prestava atenção ao ancião, que fazia um discurso erudito. Quando já não aguentava mais escutar a própria voz, o dirigente da assembleia vociferou:

"Fiquem em silêncio! Ninguém pode falar, a não ser que esteja sentado onde se senta o Chefe!".

"Não sei o que você vai achar disso", falou Nasrudin, "mas me ocorreu que onde estou sentado *é* onde o Chefe se senta."

DESSE JEITO, QUALQUER UM CONSEGUE

Um clérigo obstinado e tacanho estava fazendo um sermão para as pessoas na casa de chá, onde Nasrudin passava grande parte do seu tempo.

Com o decorrer das horas, Nasrudin foi percebendo como os pensamentos daquele homem se desenrolavam por padrões, como ele era uma vítima da vaidade e do orgulho, como questões menores de um intelectualismo fantasioso e gratuito eram exaltadas por ele e aplicadas a qualquer situação.

Debatia-se um tema após o outro, e o tempo todo o intelectual citava livros e precedentes, falsas analogias e presunções extraordinárias sem realidade intuitiva.

Finalmente, ele exibiu um livro que havia escrito, e Nasrudin esticou a mão para pegá-lo, pois era o único homem letrado presente.

Segurando-o diante dos olhos, Nasrudin folheava o livro, enquanto o grupo observava. Decorridos vários minutos, o clérigo itinerante começou a inquietar-se. Até que não pôde mais se conter e gritou: "Você está segurando meu livro de cabeça para baixo!".

"Eu sei", disse Nasrudin. "Já que esse é um dos arquétipos que parecem ter produzido *você*, creio que esta é a única coisa sensata a se fazer, se quisermos aprender com ele."

VIDA E MORTE

Nasrudin subiu numa árvore para serrar um tronco. Um homem que passava, vendo o que ele estava fazendo, gritou: "Cuidado! Você está do lado errado do galho! Você vai cair com ele".

"Sou tolo o bastante para acreditar em você, ou você é um vidente e pode me dizer o futuro?", perguntou o Mulá.

Pouco tempo depois, o tronco cedeu e Nasrudin caiu no chão. Ele correu para alcançar o homem. "Sua previsão se realizou! Conte-me, agora, como vou morrer?"

Por mais que tentasse, não tinha jeito, ele não conseguia convencer Nasrudin de que não era um vidente. Por fim, ele perdeu a calma e disse: "Talvez você morra agora mesmo".

Assim que ouviu essas palavras, o Mulá caiu e ficou imóvel. Seus vizinhos se aproximaram, identificaram-no e o colocaram dentro de um caixão. Enquanto caminhavam em direção ao cemitério, houve uma discussão sobre qual seria o caminho mais curto. Nasrudin perdeu a paciência. Levantando a cabeça do caixão, disse: "Quando eu estava vivo, costumava virar à *esquerda* aqui, esse é o caminho mais rápido".

UM TOSTÃO A MENOS PARA PAGAR

Sentado próximo a um caminho de pedras que atravessava o rio, o Mulá viu que dez homens cegos queriam cruzá-lo, e se ofereceu para ajudá-los por um tostão cada.

Eles aceitaram, e ele começou a conduzi-los ao outro lado.

Nove chegaram sãos e salvos à outra margem. Mas, quando estava fazendo o trajeto com o décimo, o pobre homem tropeçou e foi levado pela correnteza.

Sentindo que algo estava errado, os nove sobreviventes começaram a gritar: "O que aconteceu, Nasrudin?".

"Um tostão a menos para pagar", respondeu o Mulá.

POR QUE ME PERGUNTAM?

Nasrudin vagava por aí, montado em seu burro, quando o asno se assustou com alguma coisa no caminho e disparou.

Ao passar acelerado, numa velocidade fora do comum, alguns camponeses gritaram:

“Aonde está indo, ó Nasrudin, com tanta pressa?”.

“Não me perguntem”, bradou o Mulá, “perguntem ao meu burro!”

AS FILHAS

Nasrudin tinha duas filhas. Uma delas era casada com um fazendeiro, a outra, com um oleiro.

Um dia, ambas foram visitá-lo.

A esposa do fazendeiro contou: "Meu marido acabou de semear. Se chover, ele comprará um vestido novo para mim".

A outra disse: "Espero que não chova. Meu marido acabou de fazer uma grande quantidade de tijolos, que estão prontos para o cozimento. Se não chover, ele comprará um vestido novo para mim".

"Uma de vocês duas pode valer alguma coisa", disse o Mulá, "mas não saberia dizer qual."

TUDO INCLUÍDO

Nasrudin comprou um punhado de tâmaras e se sentou para comê-las. Sua esposa notou que ele guardava cuidadosamente cada caroço no bolso.

"Por que você não joga os caroços fora, como todo mundo?"

"Porque, quando comprei as tâmaras, perguntei ao quitandeiro se o preço das 'tâmaras' incluía, também, os 'caroços›. Ele disse: 'Sim, está tudo incluído'. Então os caroços são meus tanto quanto as frutas. Posso guardá-los ou jogá-los fora."

POR QUE NÃO ESTARIAM DE LUTO?

Nasrudin criava galinhas e as vendia para o açougueiro local.

Um dia, estava absorto nos problemas da sua granja quando reparou que um homem passava, com trajes de luto.

"Diga-me", falou o Mulá, correndo até a cerca, "por que está usando essas roupas?"

"Porque meus pais morreram; estou de luto por eles."

No dia seguinte, todos que passavam viram que as galinhas de Nasrudin tinham um laço preto amarrado no pescoço.

"Mulá", gritaram, "por que essas galinhas estão usando laços pretos?"

"Os pais delas, como podem imaginar", respondeu o Mulá, "morreram. Por que não estariam de luto?"

NÃO VALE A PENA GUARDAR

Ao ver algo brilhante na sarjeta, Mulá Nasrudin correu para pegá-lo. Era um espelho de metal.

Olhando com atenção, ele viu o reflexo do seu rosto.

"Não é de se estranhar que tenha sido jogado fora, algo tão feio assim não poderia mesmo agradar ninguém. A falha é minha, pois o peguei sem considerar que só podia mesmo ser algo desagradável."

O MÉDICO

Uma mulher mandou chamar o Mulá para exercer sua função de médico, porque não se sentia bem. Quando ele chegou e tentou tomar-lhe o pulso, ela ficou constrangida e puxou a manga, cobrindo o braço.

Nasrudin tirou um lenço do bolso e colocou-o sobre a manga.

"O que está fazendo, Mulá?"

"Você não sabia que sempre se toma um pulso de algodão com uma mão de seda?"

APETITE

“Não consegui comer nada nos últimos três dias.”

“Céus, Mulá, e com o apetite que você tem! Você deve estar muito doente.”

“De maneira nenhuma; ninguém me convidou para comer, só isso.”

O SEGREDO

Nasrudin espiou por cima de um muro e viu um magnífico gramado, macio e verde como o mais fino veludo. Ele chamou o jardineiro que o estava regando:

"Qual é o segredo para fazer um gramado como esse?".

"Não é segredo nenhum", respondeu o jardineiro. "Eu não me importo de contar, se você descer até aqui."

"Maravilha!", exclamou o Mulá, arrastando-se muro abaixo. "Farei um desse para mim; transformarei todo o meu jardim num gramado assim."

"O método", disse o jardineiro, "é simplesmente plantar um gramado, remover as ervas daninhas e mantê-lo liso e macio, cortando a grama com frequência."

"Posso fazer tudo isso! Quanto tempo leva para ficar desse jeito?"

"Cerca de oitocentos anos."

"Eu gosto da vista da minha janela sem grama mesmo", concluiu Nasrudin.

CAPACIDADE MÁXIMA

Um antigo, valioso e frágil vaso chinês foi encontrado pelos aldeões. Houve uma discussão na casa de chá sobre a capacidade exata do vaso.

Durante a querela, o Mulá entrou. As pessoas imploraram a ele uma resolução.

"Simples", disse Nasrudin, "tragam o vaso até aqui, e um tanto de areia."

Ele encheu o vaso de areia fina, camada após camada, socando com um bastão. Finalmente, o vaso arrebentou.

"Aí está", dirigiu-se Nasrudin triunfante para o grupo, "a capacidade máxima foi alcançada. Tudo que precisam fazer agora é retirar um grão de areia, e terão a quantidade exata necessária para encher um recipiente como esse."

GUERRA DOS SEXOS

Na casa de chá, as pessoas falavam sobre a proporção relativa dos sexos.

"Ao redor do mundo", disse o padeiro, "homens e mulheres estão numericamente equilibrados."

"De modo algum", argumentou Nasrudin, "há cerca de dez por cento de homens."

"De onde você tirou isso?"

"Noventa por cento faz o que as esposas ordenam", respondeu Nasrudin.

NA FRONTEIRA

Nasrudin estava atravessando a fronteira com uma cesta de ovos. Os produtores de ovos do país fronteiriço, querendo preservar seus direitos, haviam feito um requerimento ao rei. O rei decretara que nenhum ovo poderia ser importado.

Os agentes da alfândega avistaram Nasrudin com facilidade, levaram-no para o posto e começaram a interrogá-lo.

"A pena por mentir é a morte. O que você leva na cesta?"

"As menores galinhas possíveis."

"São animais de granja. Vamos confiscá-los enquanto investigamos", disse o agente, trancando-as num armário. "Mas não se preocupe", continuou, "vamos alimentá-las para você. Será nossa responsabilidade."

"São galinhas especiais", argumentou Nasrudin.

"Como assim?"

"Bem, você já ouviu falar de animais que definham e ficam velhos antes do tempo, quando privados da atenção do seu dono?"

"Sim."

"Essas galinhas são tão sensíveis e de uma raça tão especial que, se deixadas sozinhas por um momento, ficam *jovens* antes do tempo."

"Quão jovens?"

"Elas podem até virar ovo novamente."

EXPERIMENTE DE TUDO PELO MENOS UMA VEZ

Nasrudin rondava uma taberna. Ele não tinha um tostão e, além disso, o vinho era proibido para os fiéis verdadeiros.

O copeiro do sultão saiu da taberna, carregando cuidadosamente uma delicada jarra de vinho.

Os dois se avistaram no mesmo instante.

"Honorável Saki", começou o Mulá, "dê-me..."

"Dar-lhe o *quê*, Mulá?"

Pedir vinho seria admitir que ele bebia.

"Dê-me... Um conselho."

"Muito bem. Vá ler um livro."

Nasrudin sussurrou, um pouco para si mesmo: "Ah, não, isso não vai adiantar".

"Por que não?"

"Ah... É... Eu já experimentei uma vez."

SETE COM UM SÓ GOLPE

Um soldado voltou da guerra. A casa de chá estava um verdadeiro alvoroço.

"Um dia, nas fronteiras do norte, eu aniquilei nada menos do que seis infiéis, todos com barbas ruivas."

Houve uma salva de palmas.

"Essa você não vai conseguir superar, Mulá", disse um gaiato que tinha acabado de pregar uma peça em Nasrudin, fazendo-lhe jurar que diria a verdade literal pelas próximas vinte e quatro horas.

O Mulá levantou-se e ficou completamente ereto.

"Não sou de me exibir e jurei dizer a verdade. Muito bem; saibam, todos vocês, que eu aniquilei sete infiéis, com um único golpe."

Saiu de lá resoluto, enquanto todos olhavam para ele com respeito renovado, e voltou à sua sala, onde sete besouros incrédulos jaziam à sombra do seu mata-moscas.

MATÉRIA-PRIMA

Todos na casa de chá criticavam Wali. Ele era publicamente reconhecido como inútil, e cada um tinha algo a dizer contra ele.

"Aquele homem", opinou o alfaiate, cujas palavras costumavam ser consideradas importantes, "é um banana."

Todos grunhiram em concordância, exceto Nasrudin.

"Não é bem assim, Aga", ele disse. "Você tem de ser justo. Uma banana pode ser amassada, batida ou cozida, e comida. No que Wali poderia ser transformado?"

CAPTURE SEU COELHO

As pessoas conversavam sobre animais estranhos, às vezes míticos, e alguém na casa de chá disse a Nasrudin que era possível encontrar monstros até mesmo perto do seu vilarejo.

Quando estava a caminho de casa, o Mulá viu um novo animal. Ele tinha orelhas longas como um burro, mas era marrom, peludo e mascava. Estava tão distraído que Nasrudin conseguiu esgueirar-se até ele e agarrá-lo pelas orelhas. Ele nunca tinha visto nada igual. Tratava-se, na verdade, de um coelho. Ele o levou para casa e o prendeu dentro de uma bolsa, proibindo sua esposa de abri-la. Então, voltou correndo à casa de chá.

"Encontrei algo", anunciou solenemente, "que tem orelhas de burro, rumina como um camelo, e está dentro de uma bolsa em minha casa. Nunca se viu um animal como esse antes."

A casa de chá ficou imediatamente vazia, e todos correram à casa do Mulá para testemunhar o fenômeno.

Nesse meio tempo, é claro, sua esposa tinha aberto a sacola, incapaz de conter sua curiosidade. O coelho saltitou para fora da casa e para longe. Ela não conseguiu pensar em nada melhor do que colocar uma pedra dentro da bolsa em seu lugar, e amarrá-la novamente.

Logo, o Mulá chegou com os amigos, fazendo uma algazarra para ver o monstro.

Ele abriu a sacola e a pedra rolou. Houve um silêncio geral. Nasrudin voltou a si.

"Amigos! Se levarem sete dessas pedras, descobrirão que elas pesam 350 gramas."

TENHAM PENA DOS POBRES NATIVOS

Nasrudin fazia uma de suas muitas jornadas de ensinamento, viajando por um país rico em direção à capital.

À medida que seu burro avançava vagarosamente, ele ficava cada vez mais impressionado com a organização e a prosperidade das fazendas nos dois lados da estrada.

Ele chegou à cidade no primeiro dia da lua nova. Lá, era costume do povo sair às ruas para ver o crescente. Nasrudin não sabia disso, até notar que todos saíam em profusão às ruas e olhavam para a lua.

"Este pode até ser um país próspero", pensou consigo o Mulá, "mas *nós* temos a lua quase o tempo todo. Evidentemente, ela só aparece aqui quando está invisível para nós."

QUÃO LONGE É LONGE O BASTANTE?

Nasrudin estava à toa. Sua esposa o mandou passear. Ele pegou a estrada e seguiu andando por dois dias.

Finalmente, encontrou um homem vindo na direção oposta.

"Quando chegar à minha casa", pediu ao homem, "entre e pergunte à minha esposa se já fui longe o bastante, ou se ela acha que devo caminhar mais."

LEI ECONÔMICA

Durante as Cruzadas, Nasrudin foi capturado e forçado a trabalhar numa vala próxima à cidadela de Alepo. O trabalho era exaustivo e o Mulá lamentou sua sorte; mas o exercício lhe fazia bem.

Um mercador neutro que passava por ali, certo dia, reconheceu-o e pagou um resgate equivalente a trinta dinares de prata por ele. Levando-o para casa, cuidou dele gentilmente e lhe concedeu a mão da sua filha.

Em pouco tempo, Nasrudin vivia uma vida confortável; mas a mulher revelou-se uma megera.

"Lembre-se, você é o homem", ela disse, uma vez, "que meu pai comprou por trinta dinares e deu a mim."

"Sim", replicou Nasrudin, "sou esse homem. Ele pagou trinta por mim, você me teve por nada e eu ainda perdi os músculos que ganhei cavando valas."

PROPRIEDADE PRIVADA

Um dia, trotando em seu burro, Nasrudin viu lindas flores na beira da estrada. Ele desceu da montaria para colhê-las e, quando voltou com um buquê, constatou que alguém havia roubado o seu manto das costas do burro.

"Muito bem", disse Nasrudin, "ficarei com a sua sela, então. O que é justo é justo."

Ele montou no burro e colocou a sela nas próprias costas.

AMARREM EMBAIXO!

O Mulá estava a bordo de um barco quando desabou uma tempestade violenta. Toda a tripulação recebeu ordens de subir nos mastros, enrolar as velas e amarrá-las.

Nasrudin correu até o capitão, gritando:

"Tolos! Qualquer um pode ver que o barco se move por baixo, e seus homens estão tentando amarrá-lo por cima!"

FOGO

Mulá Nasrudin foi recebido por um dono de estalagem pegajoso que se declarava encantado por ter um hóspede tão distinto. "Qualquer coisa que quiser, é só pedir", disse.

No meio da noite, o Mulá teve sede. Ele chamou pedindo água, mas ninguém se mexeu.

Sua garganta estava ressequida e ele sentiu como se houvesse fogo em sua boca.

"Fogo! Fogo!", gritou.

Todo caravançarai acordou e, rapidamente, o anfitrião estava ao seu lado com uma jarra de água. "Onde está o fogo?"

Nasrudin apontou para a boca. "Aqui", disse.

INSTINTO

"Existem coisas", afirmou Nasrudin, "que você sabe indubitavelmente – e internamente – que só podem ser falsas."

"Pode me dar um exemplo?", perguntou alguém que estava sempre procurando evidências de paranormalidade.

"Certamente. Outro dia, quanto estava caminhando, escutei um boato de que eu estava morto."

A PERGUNTA CONTÉM A RESPOSTA

"Diga-me a verdade", falou Tamerlão a Nasrudin, quando estavam sentados na sauna a vapor de um banho turco.

"Eu sempre digo, Majestade", respondeu o Mulá.

"Quanto eu valho?"

"Cinco moedas de ouro."

O rei pareceu contrariado. "Este cinto, que segura meu calção de banho, vale exatamente isso."

"Você não tem valia", disse o Mulá, "e quando fala em 'valor', sou forçado a responder nos termos da questão. Se está falando de dinheiro, calculo o valor externo: o do cinto. Se está falando do valor interno, isso não pode ser respondido com palavras."

EMBORNAIS E BURROS

"Aí está Nasrudin", disse alguém na casa de chá, durante uma discussão filosófica. "Vamos fazer uma pergunta difícil a ele."

"Mas ele só entende de burros", falou um outro.

"Há filosofia nos burros", afirmou o Mulá, escutando a conversa ao entrar.

"Certo, Nasrudin, responda essa", desafiou o padeiro, "o que veio primeiro: os burros ou os embornais?".

"Simples. Os embornais", respondeu o Mulá sem hesitar.

"Mas isso é ridículo!"

"Prove!"

"Bem... Um burro consegue reconhecer um embornal, mas um embornal não consegue reconhecer um burro."

"Presumo que você tenha a confirmação de um embornal", disse Nasrudin, "de que não consegue reconhecer um burro."

O SONHO DO MULÁ

Certa noite, o Mulá acordou a esposa e disse, apressadamente:

"Vai, rápido, traga meus óculos. Estava no meio de um sonho maravilhoso, e me foi prometido mais por alguém que vi. Preciso dos meus óculos para isso".

O REI FALOU COMIGO

Nasrudin voltou ao vilarejo vindo da capital imperial e os cidadãos se reuniram em volta dele para escutar o que tinha para contar.

"Serei breve", anunciou Nasrudin, "e limitarei meus comentários sobre essa ocasião à declaração de que meu momento mais notável foi quando o rei falou comigo."

Tomados de admiração e perplexos diante da glória que se projetava, a maioria das pessoas recuou e seguiu caminho, comentando esse maravilhoso acontecimento.

O camponês menos sofisticado de todos ficou para trás e perguntou:

"O que disse Vossa Majestade?".

"Eu estava do lado de fora do palácio quando ele surgiu e me disse, claramente, para que todos pudessem ouvir: 'Saia do meu caminho!'."

O simplório ficou satisfeito. Ele agora escutara, com os próprios ouvidos, palavras que, de fato, haviam sido usadas por um rei.

NINGUÉM REALMENTE SABE

Subitamente, dando-se conta de que não sabia quem ele era, Mulá Nasrudin correu pelas ruas, procurando por alguém que pudesse reconhecê-lo.

A multidão era densa, mas ele estava numa cidade estranha e não encontrou nenhum rosto familiar.

De repente, viu-se na oficina de um carpinteiro.

"O que posso fazer por você?", perguntou o artesão, avançando até ele.

Nasrudin não disse nada.

"Talvez você queira algo feito de madeira?"

"Um coisa de cada vez", falou o Mulá. "Primeiro: você me viu entrar na loja?"

"Sim, eu vi."

"Ótimo. Agora: você já tinha me visto antes?"

"Nunca na vida."

"Então, como sabe que este sou *eu*?"

VERDADE

"O que é a verdade?", um discípulo perguntou a Nasrudin.

"Algo sobre o qual nunca, em nenhum momento, falei; e nem falarei."

NINHOS DO ANO PASSADO

"O que está fazendo nessa árvore, Mulá?"

"Procurando por ovos."

"Mas esses ninhos são do ano passado!"

"Bem, se você fosse um pássaro e quisesse um lugar seguro para botar seus ovos, faria um ninho novo, com todo mundo olhando?"

CABEÇA E CALCANHARES

"Quando você morrer, Mulá, como gostaria de ser enterrado?", perguntou um amigo.

"De cabeça para baixo. Se, como creem as pessoas, estamos na posição certa, para cima, nesse mundo, quero experimentar ficar de ponta cabeça no próximo."

SÓ PARA GARANTIR

Nasrudin estava andando pela rua envolto em um manto de luto azul-marinho. Alguém o deteve e perguntou: "Por que está vestido assim, Mulá, alguém morreu?".

"É quase certo que sim", respondeu o Mulá Nasrudin. "Pode ter acontecido, sabe, sem que eu tenha sido informado."

VELHOS TÚMULOS POR NOVOS

"Quando eu morrer", disse Nasrudin, "enterrem-me num túmulo velho."

"Por quê?", seus parentes perguntaram.

"Porque quando Munkir e Nakir, os anjos que registram as boas e as más ações, vierem, poderei acenar para que sigam adiante, dizendo que esse túmulo já foi considerado e inscrito para a punição."

O TESTAMENTO DE NASRUDIN

"A lei determina que meus dependentes devem receber determinadas cotas fixas das minhas posses e do meu dinheiro.

Eu não tenho nada: que seja dividido de acordo com a fórmula aritmética da lei.

O que restar deverá ser dado aos pobres."

INCOMPLETO

Mulá Nasrudin supervisionou a construção do seu próprio túmulo.

Finalmente, depois de corrigir uma série de defeitos, o pedreiro foi receber seu dinheiro.

"Ainda não está pronto, construtor."

"O que mais poderia ser feito?"

"Ainda temos de providenciar o corpo."

A TUMBA DO MULÁ

A tumba de Nasrudin tinha como fachada uma imensa porta de madeira, travada e trancada com cadeado. Como última piada, o Mulá decretou que não deveriam ser erguidas paredes ao redor da tumba...

A data inscrita na lápide foi 386. Substituindo esses números por letras – um artifício comum em túmulos sufis – obtemos a palavra SHWF, que em uma de suas formas quer dizer "ver"; mais especificamente, "fazer alguém ver".

Talvez seja por isso que, durante muitos anos, a poeira da tumba foi considerada muito eficaz na cura de problemas na vista...

Título original
The pleasantries of the incredible Mulla Nasrudin

EDITOR
Laura Di Pietro

CAPA E PROJETO GRÁFICO
Tecnopop

DIAGRAMAÇÃO
Letra e Imagem

REVISÃO
Gerusa Bondan
Ana Lúcia Moraes
Leda Cartum

Este livro atende às normas do Novo Acordo Ortográfico em vigor desde janeiro de 2009.

DADOS INTERNACIONAIS DE CATALOGAÇÃO-NA-PUBLICAÇÃO (CIP)

S525g Shah, Idries, 1924-1996
As gaiatices do incrível Mulá Nasrudin / Idries Shah ; tradução de Tami Buzaite. – Rio de Janeiro : Tabla, 2016.
192 p. ; 21 cm. – (Coleção filosofia viva)

Tradução de: The pleasantries of the incredible Mulla Nasrudin.
ISBN 978-85-92632-05-2

1. Folclore. 2. Nasrudin (Personagem lendário). 3. Sufismo. 4. Contos sufis. I. Título. II. Série.

CDD- 398.22

2016

tel/fax 21 30887238
contato@editoratabla.com.br
www.editoratabla.com.br

Publicado em parceria com The Idries Shah Foundation.

Este livro foi composto nas famílias Sabon e
Avant Garde e impresso em papel Avena 80g/m²
pela Grafitto Gráfica em maio de 2016.